W9-CDA-509

Lectures pour conversations

448
L

LECTURES POUR CONVERSATIONS

Alice Langellier
FINCH COLLEGE

AMERICAN BOOK COMPANY *New York*

WINGATE COLLEGE LIBRARY
WINGATE, N. C.

Copyright © 1960 by
AMERICAN BOOK COMPANY

Langellier: *Lectures pour conversations.* Manufactured in the United States of America. All rights reserved. No part of this book protected by the copyright hereon may be reprinted in any form without written permission of the publisher.

5 7 9 EP 10 8 6 4

A

Finch College

23869

Préface

Lectures pour conversations has a two-fold aim: (1) to enable the student to converse in idiomatic French with ease, fluency, and the satisfaction derived from self-expression; and (2) to awaken his interest in French literature.

The book is designed primarily for intermediate courses, although it can be used in the second semester of an intensive beginning course. At a more advanced level, the material is well suited for students thoroughly trained in grammar but lacking oral fluency.

To attain its double aim, the book is divided into two parts. Part One consists of fifteen selections in simple French about aspects of everyday French life. In these selections, the author has not followed the beaten path of emphasizing the "picturesque" but has tried, on the contrary, to present those characters and situations which should appeal to the student's own interests and for which he can find near equivalents in his own daily life. Each selection offers a basic, flexible, workable vocabulary that may be easily mastered.

Part Two presents fifteen literary selections from the works of authors who, with a single exception, are well known. Each of these selections is linked in theme to the corresponding selection in Part One, establishing a link, as it were, between life and literature. The selections were chosen for their historical, imaginative, thought-provoking, or simply entertaining value. The exercises in Part Two bring the student back to modern life and help establish and strengthen the connection with literature.

The selections are short enough to be read aloud in class for comprehension, without word-for-word translation, which—as instructors well know—accomplishes little. For this reason, the author has not listed every word in the vocabularly: the student is encouraged to derive meanings from context and to train his memory, rather than to turn pages constantly.

The author has kept in mind that simply knowing the meaning of a French word does not enable the student to use it either in speaking or in writing. The exercises are designed to make the student read the texts over and over again, if necessary, and to use the new words and expressions until he is thoroughly familiar with them. Questions, as well as exercises in comprehension, conversation, and composition, allow the student to express himself in French, to improve his comprehension, and to develop a sense of sentence structure.

The questions and answers may run from instructor to student or from student to student. Some questions are so phrased that they may be answered briefly in intermediate classes and more fully, through class discussion, in advanced groups. In the same way, the written or oral compositions may be approached in accordance with the level of preparation of the class.

Dictation drawn from the readings is recommended as a means of developing comprehension and accuracy at any level.

Table des matières

Première partie

Seconde partie

PREMIÈRE PARTIE

Première leçon

Des gens

C'est l'heure de la presse. Il y a beaucoup de monde dans la station de métro de Saint-Germain-des-Prés. Un étudiant en droit, Jacques Dolet, s'amuse à regarder les gens autour de lui.

Un front, deux yeux, un nez, une bouche, un menton, deux oreilles, c'est étonnant ce que la nature a pu faire avec ça, se dit Jacques. [5 C'est drôle de penser qu'il y a au monde des centaines de millions de figures et pas deux qui soient semblables . . . excepté celles des jumeaux et jumelles, bien entendu.

Par exemple, continue Jacques en lui-même, ces deux jeunes filles qui causent avec animation: une jolie blonde, une brune plutôt laide. [10 La blonde a de grands yeux bleus, un petit nez retroussé, une bouche aux lèvres bien dessinées. Rien qu'à la façon dont elle rejette la tête en arrière, à son sourire qui découvre des dents remarquablement blanches, on sent qu'elle domine la vie . . . pour le moment, tout au moins.

La brune a des cheveux ternes, coupés trop courts, des yeux trop [15 petits surmontés de sourcils noirs trop épais, un gros nez, un teint brouillé, un menton légèrement fuyant. Pourtant, sa physionomie a quelque chose de vif, d'intelligent qui rachète sa laideur.

Jacques se demande jusqu'à quel point notre physique influence notre caractère et par conséquent notre existence et celle de ceux [20 qui nous entourent. Napoléon était de petite taille. Dans sa jeunesse, le cheveu rare, maigre, fluet, le torse long, les jambes courtes, il n'attirait guère l'attention. Est-ce là une des causes de son ambition démesurée, de sa carrière grandiose et néfaste?

Si, au lieu d'être beau et vigoureux, Louis XIV avait été laid et [25 maladif, s'il avait eu les jambes cagneuses, des pieds et des mains énormes, il n'aurait pas autant aimé les fêtes, le luxe. Il n'aurait probablement jamais fait bâtir le palais de Versailles; il n'aurait pas ruiné le pays. C'est drôle de penser que si Louis XIV ne s'était pas flatté d'avoir les plus belles jambes de son royaume il n'y aurait peut- [30 être jamais eu de révolte contre la royauté . . .

Jacques reçoit un coup de parapluie dans les jambes. Une grosse dame à la figure couperosée, l'air effaré, s'excuse:

— Oh, pardon, monsieur. Je ne l'ai pas fait exprès.

— Pas d'importance, dit Jacques poliment. [35

L'incident lui a rappelé qu'il n'est pas à la cour de Versailles, au dix-septième siècle, mais à la station de métro de Saint-Germain-des-Prés, en plein vingtième siècle; et à l'heure de la presse. Il regarde autour de lui. C'est affolant tous ces visages: visages soucieux aux traits tirés; visages jeunes au teint clair; visages trop maquillés de [40 femmes mûres; vieux visages ridés; visages trop pleins de gens qui aiment trop la nourriture; visages pâles, maladifs; visages bronzés, éclatants de santé.

Jacques aperçoit un monsieur d'un certain âge, au crâne chauve et qui porte une belle barbe blanche. Jacques se demande quelle [45 tête il aurait s'il portait une barbe qui, dans son cas, serait châtain clair. Ou quelle tête aurait ce grand gaillard aux cheveux roux, à la figure couverte de taches de rousseur.

Le train arrive. Jacques se trouve dans un wagon bondé. Il est coincé entre une longue et maigre demoiselle qui lui envoie dans [50 les côtes un coude acéré et la grosse dame de tout à l'heure qui continue à lui battre les jambes du bout de son parapluie. Mais, maintenant, elle est trop fatiguée pour lui faire des excuses.

Jacques aussi est fatigué.

Notes

1. **Napoléon (1769-1821)**, empereur des Français de 1804 à 1814. Administrateur remarquable, il créa la Banque de France et fit rédiger le Code Civil. Son règne fut d'abord marqué par une série de victoires. Battu par toute l'Europe coalisée à Waterloo, il resta prisonnier des Anglais à Sainte-Hélène jusqu'à sa mort.
2. **Louis XIV (1638-1715)**, roi de France (1643-1715). En 1661, il prononça les fameuses paroles: «L'État, c'est moi» et commença à régner par lui-même. Son règne fut marqué par de nombreuses guerres. En politique intérieure, il pratiqua l'absolutisme et la centralisation. Il fit bâtir Versailles et sa cour était la plus brillante de l'Europe.

A. Questions sur le texte

1. Pourquoi y a-t-il beaucoup de monde dans la station de métro de Saint-Germain-des-Prés?

2. Où se trouve Jacques en ce moment?
3. Que fait-il?
4. Nommez les différentes parties du visage.
5. Faites le portrait de la jeune fille blonde.
6. Faites le portrait de la jeune fille brune.
7. Faites le portrait de Napoléon dans sa jeunesse.
8. Qui a fait bâtir le château de Versailles?
9. De quoi Louis XIV se flattait-il?
10. Qu'est-ce que Jacques reçoit dans les jambes?
11. Que dit la grosse dame pour s'excuser?
12. Que répond Jacques?
13. Qu'est-ce que l'incident a rappelé à Jacques?
14. Énumérez les visages que Jacques voit autour de lui.
15. Faites le portrait du monsieur d'un certain âge.
16. De quoi la figure du grand gaillard aux cheveux roux est-elle couverte?
17. Comment est le wagon dans lequel Jacques se trouve?
18. Décrivez la position de Jacques dans le métro?
19. Est-il étonnant que Jacques soit fatigué?
20. Que savez-vous de Louis XIV?
21. Que savez-vous de Napoléon?

B. Exercice de vocabulaire

1. *Trouvez dans le texte des mots qui expriment le contraire des mots en italiques:*
   Elle a un *grand* nez, elle est *laide,* elle est *petite.* Son visage n'est pas *assez* maquillé. C'est une *vieille* fille. Il était de *petite* taille, il avait une barbe *noire,* il était en *bonne* santé, il était *gros.*
2. *Trouvez dans le texte des mots qui ont la même signification que les mots en italiques:*
   Deux jeunes filles qui *parlent.* Il *n'a pas de cheveux.* Il *a beaucoup d'ambition.* Le wagon est *plein de gens.* Il est *âgé.*
3. *Complétez les phrases suivantes en employant des mots pris dans la liste suivante:*
   un parapluie, le nez, les yeux, les oreilles, les dents, fatigué, influence.
   Quand j'ai beaucoup travaillé, je suis ____. On entend avec ____. On voit avec ____. On sent avec ____. On mâche les aliments

avec ____. Notre apparence physique ____ notre vie. Quand il pleut, on prend un ____.

4. *Lisez la phrase qui commence:* C'est affolant . . . *en employant le mot* figure *au lieu de* visage (page 4, ligne 39).

C. Exercice de conversation

Demandez à un (ou une) camarade:

1. s'il (si elle) prend le métro pour venir à l'université.
2. s'il (si elle) a le nez retroussé.
3. s'il (si elle) a le menton fuyant.
4. s'il (si elle) aime les cheveux coupés courts.
5. s'il (si elle) va souvent à des fêtes.
6. ce qu'il (elle) fait en ce moment.
7. ce qu'il (elle) a fait hier.
8. en quel siècle nous vivons.
9. en quel siècle vivait Louis XIV.
10. s'il (si elle) aime se bronzer au soleil en été.
11. ce qu'il (elle) dit pour s'excuser quand il (elle) bouscule quelqu'un.
12. ce qu'il (elle) aperçoit devant lui (elle) en ce moment.
13. si Napoléon était de haute taille.
14. si Napoléon avait de beaux cheveux.
15. où est mort Napoléon.
16. si Louis XIV avait les jambes cagneuses.
17. quelles paroles prononça Louis XIV en 1661.
18. par quoi fut marqué le règne de Louis XIV.

D. Questions générales

1. Quel âge avez-vous?
2. En quelle année êtes-vous né (née)?
3. Donnez la date de votre naissance.
4. De quelle couleur sont vos yeux, vos cheveux? (Réponse: J'ai les yeux . . .)
5. Avez-vous un menton volontaire, fuyant, rond, carré?
6. Êtes-vous de petite taille, de taille moyenne?
7. Avez-vous le nez droit, aquilin, retroussé?
8. Faites le portrait d'un (ou d'une) de vos camarades.
9. Donnez votre taille en mesures américaines. (Exemple: J'ai cinq pieds, onze pouces.)
10. Il y a cent centimètres dans un mètre; un pouce équivaut à peu

prés à deux centimètres et demi. Quelle est votre taille en mètre et centimètres? (Exemple: J'ai un mètre quatre-vingt-cinq.)

11. Combien pesez-vous en livres américaines?
12. Il y a mille grammes dans un kilo. Une livre américaine équivaut à peu près à 454 grammes. Combien de kilos pesez-vous à peu près?
13. A partir de quel âge peut-on dire d'une femme: c'est une femme mûre ou c'est une femme d'un certain âge?
14. A partir de quel âge peut-on dire d'un jeune garçon: ce n'est plus un enfant mais un adolescent?
15. A partir de quel âge un jeune homme est-il considéré comme un adulte?
16. Donnez le nom d'une actrice dont l'apparence physique a influencé la carrière.
17. A votre avis, l'apparence physique a-t-elle la même importance dans la carrière d'un acteur et dans celle d'une actrice?

E. Sujet de composition écrite ou orale

Faites le portrait d'une personne que vous connaissez bien.

F. Un jeu

Un étudiant sort de la classe. Les autres étudiants choisissent une personne connue. L'étudiant qui était sorti rentre dans la classe. Il doit deviner le nom de la personne qui a été choisie. Il pose des questions auxquelles il est défendu de répondre autrement que par «oui» ou par «non».

Exemple:
Est-ce un homme?
Non.
Est-ce une femme?
Oui.
Est-ce une vieille femme?
Non.
Et ainsi de suite.

Deuxième leçon

Marc a son premier bachot

D'ordinaire, Marc est un jeune homme sérieux, mais, aujourd'hui, c'est un diable déchaîné. En plein boulevard Saint-Michel, il chante, il crie, il danse. Le pauvre garçon est devenu fou, direz-vous. Mais non. Tout simplement, Marc a appris qu'il est reçu à son premier bachot et, en compagnie des autres bacheliers, il célèbre la bonne [5 nouvelle. Suivant la vieille tradition, les jeunes gens forment un long et bruyant monôme qui défile tout le long du boulevard sous l'œil paternel, mais vigilant, de nombreux agents de police alertés pour la circonstance.

Marc rentre chez lui à deux heures du matin. Il est fourbu [10 mais il n'a pas envie de dormir. Il pense à ceux de ses camarades qui ont été refusés et qui doivent se présenter de nouveau en octobre. Les pauvres types vont passer toutes les vacances à travailler. Pas drôle.

«J'ai mon bachot», se dit Marc avec satisfaction. C'est un peu prématuré; le bachot se compose de deux examens et il n'a passé [15 que le premier. Il ne pourra dire qu'il a terminé ses études que lorsqu'il aura passé le deuxième bachot en juin prochain. Mais chacun sait que lorsqu'on a été admis au premier, et avec la mention bien, on échoue rarement au second.

Marc revoit, en pensée, ces journées d'examen. D'abord, l'écrit. [20 Le sujet de la dissertation l'avait plongé dans la joie: «Vous montrerez comment, après Molière, la comédie a été renouvelée et enrichie par les œuvres de Beaumarchais.» Jeu d'enfant pour un type qui connaît bien *Le barbier de Séville*. La rédaction en anglais lui avait paru facile: «A trip». En revanche les épreuves de physique et de mathéma- [25 tiques lui avaient fait suer sang et eau.

L'oral était impressionnant. Tous ces examinateurs qu'on ne connaît pas! Certains avaient des airs de tigres qui vont dévorer leur proie. «Si c'est le barbu qui m'interroge en physique, je suis flambé», avait-il pensé. Eh bien, non; le «barbu» était le genre d'examinateur qui [30 met un candidat à l'aise. En math, Marc était tombé sur un type qui posait des questions difficiles. Il s'en était à peu près tiré. En littérature, il avait eu de la chance; toutes les interrogations avaient porté sur le mouvement romantique qu'il connaissait bien. En espagnol et en anglais, il s'était distingué: 9 sur 10, autant dire la note maximum. [35

Marc pense à sa carrière d'écolier. D'abord à l'école communale de Brévannes. On passait trente heures par semaine à l'école mais on ne travaillait pas tout le temps; il y avait les récréations, l'éducation physique, les activités dirigées. Ah, les belles ballades dans les bois pour étudier la botanique! [40

Il avait passé son certificat d'études avec succès. Alors, moment solennel. Son père lui avait dit: «Tu vas entrer en sixième au lycée Henri IV. Tu peux choisir entre le latin ou l'anglais. Qu'est-ce que tu préfères?» «L'anglais», avait-il répondu tout fier d'être traité en grand garçon. «Tu seras interne», avait continué son père. «Ce [45 sera un peu dur d'abord. Mais je te connais; tu t'habitueras vite à la vie d'internat.» En effet, ça avait été dur d'abord. Il n'avait que onze ans et se sentait bien seul. Puis, il s'était fait des amis et tout avait bien marché.

En troisième, il avait commencé à penser sérieusement au [50 bachot. Il s'était décidé pour la section sciences-langues et n'avait jamais regretté son choix.

Marc pense à ses deux petites sœurs. Jacqueline, qui se spécialise en latin-sciences, aura certainement son bachot. C'est une travailleuse. Renée hésite entre latin-grec et latin-sciences mais elle est si [55 paresseuse qu'il est douteux qu'elle finisse ses études.

Et lui, quelle section va-t-il choisir pour la deuxième partie du bachot? Mathématiques, économie politique, philosophie, sciences expérimentales?

Les mots dansent dans sa tête; ses paupières se ferment. [60

Marc dort du sommeil calme et profond d'un garçon qui vient d'être reçu à son premier bachot.

Notes

1. **Le bachot** est le nom donné à la série d'épreuves qui terminent les études dans les lycées et collèges en France. Le premier bachot se passe à la fin de l'année de première, le deuxième après une année d'études supplémentaires. Le bachot (ou baccalauréat) est aussi le nom du diplôme décerné aux étudiants qui ont passé les épreuves avec succès. Il est possible que l'oral du bachot soit supprimé en 1960.

Le bachot permet aux étudiants français qui désirent continuer leurs études aux États-Unis d'entrer comme «junior» dans un «college» ou dans une «university».

Un collège (ou un lycée) comprend une section enfantine de la douzième (qui correspond au «first grade») à la sixième. On voit que le collège ne correspond pas du tout au «college» aux États-Unis. Dans les questionnaires, nous emploierons toujours le mot université qui se rapproche davantage du «college» américain.

2. **Le boulevard Saint-Michel** se trouve sur la rive gauche, dans le Quartier latin, à Paris.
3. **Molière (1622-1673)** est considéré comme le plus grand des auteurs comiques français. Ses principales comédies sont: *Le Misanthrope, L'Avare, Tartuffe*. Il peint les défauts et les vices des hommes de son temps.
4. **Beaumarchais (1732-1799)**, auteur dramatique. Ses deux comédies: *Le barbier de Séville* et *Le mariage de Figaro* sont dans la tradition de Molière mais Beaumarchais critique surtout les classes privilégiées.

A. Questions sur le texte

1. Pourquoi Marc se conduit-il aujourd'hui comme un diable déchaîné?
2. Que font les nouveaux bacheliers tout le long du boulevard Saint-Michel?
3. Par qui sont-ils surveillés?
4. A quelle heure Marc rentre-t-il chez lui?
5. Que doivent faire les candidats qui ont été refusés au bachot?
6. Quand est-ce que Marc pourra dire qu'il a terminé ses études au lycée?
7. Marc a-t-il peur d'échouer à son deuxième bachot?
8. Quel était le sujet de la dissertation à l'écrit du premier bachot?
9. Quelles épreuves Marc a-t-il dû passer à l'écrit et à l'oral du bachot?
10. Quel genre d'examinateur était le «barbu»?
11. Comment la carrière d'écolier de Marc a-t-elle commencé?
12. Combien d'heures par semaines les écoliers passaient-ils à l'école?
13. Quel âge avait Marc quand il est entré au lycée?
14. Est-ce que Marc aimait la vie d'internat?
15. Qu'est-ce que son père lui avait dit avant son entrée en sixième?
16. Qu'est-ce que Marc a décidé quand il est entré en troisième?

17. En quoi Jacqueline se spécialise-t-elle?
18. Entre quelles sections du bachot Renée hésite-t-elle?
19. D'après le texte, quelles sont les quatre sections parmi lesquelles un candidat peut choisir pour passer son premier bachot?
20. Quelles sont les quatre sections du deuxième bachot?

B. Exercice de vocabulaire

Complétez les phrases suivantes à l'aide de mots pris dans le texte:

1. Pour avoir son bachot, il faut _____ un examen.
2. Quand les étudiants célèbrent leur admission au bachot, la police est _____.
3. Marc est très fatigué; il est _____.
4. Marc ne dort pas; il n'a pas _____.
5. Certains de ses camarades n'ont pas réussi à l'examen; ils ont été _____.
6. Le pauvre garçon a échoué à l'examen; il faudra qu'il _____ les vacances à _____.
7. Marc est heureux parce qu'il a été _____ à son premier bachot.
8. La dissertation était très facile; c'était un _____.
9. L'examen du bachot se compose de plusieurs _____.
10. Cet examinateur est gentil; il met les candidats _____.
11. Marc a assez bien répondu aux questions; il s'en est _____.
12. 9 sur 10 est _____ la note maximum.
13. Marc s'amusait pendant les _____.
14. Il étudiait la botanique en faisant de belles _____ dans les bois.
15. A Paris, Marc n'était pas externe mais _____.
16. Marc avait _____ ans quand il est entré en sixième.
17. En troisième, Marc _____ pour la section sciences-langues.
18. Jacqueline _____ en latin-sciences.
19. Elle travaille beaucoup; c'est une _____.
20. Renée ne travaille pas; elle est _____.
21. Marc _____ être reçu à son premier bachot.

C. Exercice de conversation

Transformez en dialogue le récit suivant:

Exemple: Richard demande à Jean ce qu'il fait.
Richard.—Que faites-vous, Jean?
Jean répond qu'il étudie son histoire ancienne.
Jean.—J'étudie mon histoire ancienne.

La scène se passe dans la bibliothèque de l'université.

Richard demande à Jean ce qu'il fait.

Jean répond qu'il étudie son histoire ancienne.

Richard demande à Jean si c'est un cours intéressant.

Jean répond qu'il le trouve très intéressant.

Richard lui demande s'il se spécialise en histoire.

Jean répond que non; il se spécialise en économie politique. Richard dit qu'il avait d'abord décidé de se spécialiser en psychologie mais qu'il a découvert que les sciences sont très intéressantes et qu'il se demande s'il ne va pas se spécialiser en chimie.

Jean lui répond que cela le regarde. Personne ne peut choisir pour lui.

Richard demande à Jean s'il connaît la sténographie et la dactylographie.

Jean répond qu'il tape toutes ses compositions à la machine à écrire mais qu'il laisse la sténo aux étudiantes qui veulent devenir secrétaires.

Richard lui demande pourquoi il se sert d'un stylo ordinaire alors que les stylos à bille sont tellement plus pratiques.

Jean dit à Richard qu'il l'ennuie avec toutes ses questions. Il lui dit de le laisser travailler en paix.

D. Questions générales

1. Depuis combien de temps étudiez-vous le français?
2. Qu'est-ce qui vous paraît le plus difficile dans votre étude du français: la grammaire, la lecture, la conversation?
3. Combien de fois par semaine avez-vous la classe de français?
4. Quels jours de la semaine, la classe de français a-t-elle lieu?
5. A quelle heure cette classe a-t-elle commencé?
6. A quelle heure va-t-elle finir?
7. Quels sont les sujets que vous étudiez ce semestre?
8. En quel sujet vous spécialisez-vous?
9. Quel est celui de vos cours qui vous donne le plus de travail?
10. Quel est celui que vous en donne le moins?
11. Combien d'examen passerez-vous à la fin du semestre?
12. Avez-vous peur d'échouer à votre examen de français?
13. De quelle heure à quelle heure la bibliothèque est-elle ouverte?
14. Combien de temps passez-vous à la bibliothèque, en moyenne, par semaine?
15. Expliquez en français la différence entre une librairie et une bibliothèque.

16. Faites-vous partie du Cercle français?
17. Avez-vous une fonction officielle dans le Cercle français? (président, vice-président, trésorier, trésorière, secrétaire)
18. Qui est l'animateur (animatrice) du Cercle?
19. Combien de réunions par mois avez-vous?
20. Qu'est-ce que vous faites pendant les réunions du Cercle?

E. Sujets de compositions écrites ou orales

1. Les inscriptions *(registering)*.
   Décrivez la salle où vous vous êtes fait inscrire.
   Portrait de votre conseiller (ou conseillère).
   Aviez-vous déjà choisi votre programme dans le catalogue de l'université?
   Étiez-vous intimidé(e) ou parfaitement à l'aise?
   Avez-vous eu du mal à faire votre emploi du temps *(schedule)*?
   Décrivez votre emploi du temps.
2. Les examens.
   Avez-vous peur des examens?
   Trouvez-vous que passer toute la nuit à préparer un examen soit un bon système?
   Où et quand ont lieu les examens (trimestriels, semestriels)?
   Aimez-vous «le système de l'honneur» ou préférez-vous qu'un professeur surveille les étudiants?
   Les étudiants qui trichent sont-ils sévèrement punis dans votre université?

WINGATE COLLEGE LIBRARY
WINGATE, N. C.

Troisième leçon

La joie de vivre

—Merci beaucoup, monsieur, dit la cliente prenant la monnaie que monsieur Serrier lui tendait. Et permettez-moi de vous féliciter du nom de votre magasin: *La joie de vivre,* c'est très bien trouvé.

Elle sortit, le disque qu'elle venait d'acheter sous le bras, l'air heureux. Monsieur Serrier, propriétaire du magasin, se tourna [5 vers son employé:

—Elle me fait rire, celle-là. Ce n'est pas avec les huit francs que je viens de recevoir pour son disque que j'en aurai de la joie de vivre.

—Et elle en a bien écouté dix avant d'en acheter un, dit l'employé, tout en disposant avec art des rasoirs électriques et des fers à [10 repasser dans la vitrine.

—On peut en parler de la joie de vivre, reprit monsieur Serrier avec amertume. Tous les jours, le même petit train-train. On se lève, on fait sa toilette. L'eau de la douche est froide. On se rase, on s'habille, on déjeune en vitesse d'un petit pain trempé dans du café au lait trop [15 chaud. On attend l'autobus qui arrive en retard et bondé . . .

Une cliente entrait: la quarantaine, tailleur sévère, gros souliers, cheveux gris trop frisés, serviette de cuir. Monsieur Serrier échangea avec son employé un regard qui disait nettement: une intellectuelle, un disque de Ravel ou Debussy. [20

—Vous désirez? dit-il à la cliente avec un sourire commercial.

—Un poste de télévision, dit la cliente.

Le sourire commercial se transforma en un sourire chaud, obligeant, aimable, tandis que la cliente expliquait:

—Figurez-vous que je croyais que la télévision ne donnait que [25 des matchs de catch et de la musique populaire. Hier, chez une amie, j'ai entendu à l'émission: *Connaissance de l'homme,* une excellente conférence sur l'histoire de la musique vocale. Mon amie m'a parlé des autres émissions culturelles: *Plaisirs de la lecture, L'Université radiophonique internationale.* J'ai décidé que, pour être au courant, il [30 faut avoir la télévision chez soi.

— C'est, en effet, une nécessité, dit monsieur Serrier.

La cliente examina rapidement les postes de télévision, se décida pour le modèle le plus cher.

— Il me tarde d'être téléspectatrice, dit-elle en riant. [35

— Mon technicien ira installer le poste cet après-midi, dit le marchand rayonnant.

La cliente sortit. Monsieur Serrier se frotta les mains.

— Une cliente en or, dit-il à son employé-technicien.

— Pour ça, oui, dit l'employé. [40

Hélas, après ce coup de chance, les rares clients ne demandaient plus que des disques, pas même des microsillons, des disques de chansons populaires d'un bon marché qui laissait au marchand très peu de bénéfice.

Midi. Monsieur Serrier alla déjeuner dans un petit restaurant [45 où il retrouva, comme d'habitude, son ami monsieur Lerond, propriétaire d'un salon de beauté tout près de *La joie de vivre*. Monsieur Lerond passa tout le déjeuner à se vanter de gagner beaucoup d'argent et monsieur Serrier était bien déprimé tandis qu'il retournait à son magasin. [50

Deux heures, trois heures. Pas de clients. L'employé était parti installer le poste de télévision; le marchand faisait sa comptabilité. Pas brillants, les bénéfices. «Fichu métier», grommelait monsieur Serrier.

Un vieux monsieur entra, l'air indécis. Il voulait faire un cadeau à sa femme, un cadeau utile. Le marchand proposa successivement [55 un aspirateur dernier modèle, une machine à laver qui faisait la lessive toute seule, un réfrigérateur qui tenait peu de place et contenait beaucoup de choses. Le vieux monsieur n'arrivait pas à se décider. Enfin, après une heure d'hésitation, il acheta un fer à repasser pour sa femme et une radio portative pour lui-même. [60

Dans l'autobus qui le ramenait chez lui, monsieur Serrier pensait au bon cassoulet que sa femme devait lui servir au dîner, à sa journée de travail. Monotone, l'existence, mais tout de même, on avait de bons moments. Ce n'était pas si bête d'avoir appelé son magasin: *La joie de vivre*. Une phrase, lue dans un roman, lui revint à l'esprit: «Je [65 suis un de ces types mécontent de son sort mais heureux de vivre», se dit-il.

Notes

1. **Ravel, Maurice (1875-1937)**, compositeur. Sa musique est d'une délicatesse recherchée dans ses harmonies, et d'une grande subtilité

dans son orchestration. Le *Boléro* est son morceau le plus connu.

2. **Debussy, Claude (1862-1918)**, compositeur célèbre pour ses recherches harmoniques, son art évocateur et subtil. Ses œuvres les plus connues sont: *Pelléas et Mélisande, La mer.*

A. Questions sur le texte

1. De quoi la cliente a-t-elle félicité monsieur Serrier?
2. Combien coûtait le disque que la cliente venait d'acheter?
3. Combien de disques la cliente a-t-elle écoutés avant d'en acheter un?
4. Quels objets l'employé a-t-il disposés dans la vitrine?
5. Décrivez les occupations de monsieur Serrier tous les matins?
6. Comment la deuxième cliente était-elle habillée?
7. Qu'est-ce que la cliente désirait acheter?
8. Pourquoi le sourire commercial de monsieur Serrier s'est-il transformé en un sourire aimable et obligeant?
9. Pourquoi la cliente a-t-elle décidé d'acheter un poste de télévision?
10. Pour quel poste de télévision la cliente s'est-elle décidée?
11. Comment appelez-vous les gens qui regardent la télévision? (Masculin: téléspectateurs.)
12. Que fait monsieur Serrier après le départ de la cliente?
13. Qu'est-ce qui coûte le plus cher: un microsillon ou un disque ordinaire?
14. Avec qui monsieur Serrier a-t-il déjeuné?
15. De quoi monsieur Lerond est-il propriétaire?
16. Pourquoi monsieur Serrier était-il déprimé tandis qu'il retournait à son magasin?
17. Qu'est-ce que l'employé a fait pendant l'après-midi?
18. Quelle sorte de cadeau le vieux monsieur voulait-il faire à sa femme?
19. S'est-il décidé rapidement?
20. Qu'est-ce qu'il a acheté finalement?
21. Quelles étaient les pensées de monsieur Serrier tandis qu'il retournait chez lui?

B. Exercice de vocabulaire

Complétez les phrases suivantes en vous servant du vocabulaire du texte:

1. Vous achetez un disque de huit francs; vous donnez au marchand un billet de cinquante francs; il vous rend ____.

2. Cela ne m'amuse pas; ah non, cela ne me ____.
3. Il a acheté son magasin; il en est ____.
4. Je connais deux compositeurs français: ____ et ____.
5. C'est une vie bien monotone; toujours le même petit ____.
6. Le ____ est un sport très brutal.
7. J'ai écouté une ____ à la radio.
8. Le marchand est très content; il est ____.
9. C'est une très bonne cliente; une cliente ____.
10. Ce disque ne coûte pas cher; il est ____.
11. Quand vous voulez vous faire faire un shampooing, vous allez à un ____.
12. Il est triste et découragé; il est ____.
13. Pour conserver les aliments, on les met dans ____.
14. Pour repasser les vêtements, on se sert d' un ____.
15. Pour se raser, on se sert d'un ____.
16. Pour nettoyer l'appartement, on se sert d'un ____.
17. Pour faire la lessive, on se sert d'une ____.
18. Nous avions de la musique pendant le pique-nique grâce à Robert qui avait apporté sa ____.
19. A l'examen, le professeur n'a demandé que des questions dont je savais la réponse; c'était un ____ pour moi.
20. Familièrement, on emploie le mot ____ pour désigner un homme.
21. Pour rentrer chez vous, à Paris, vous prenez soit un taxi, soit le ____, soit un ____.

C. Exercice de conversation

Transformez en dialogue le texte suivant. Employez les pronoms «moi» et «lui» pour désigner les interlocuteurs.

Un camarade vous demande à quoi sert le magnétophone qui se trouve sur votre bureau.

Vous lui répondez que vous vous en servez pour améliorer votre accent en français.

Il dit qu'on n'a pas besoin d'une machine pour avoir un bon accent en français. Il suffit d'écouter le professeur.

Vous expliquez que lorsque vous parlez vous ne vous rendez pas compte que vous faites des fautes. Le ruban magnétique vous permet de comparer le français du professeur et le vôtre et vous pouvez corriger vos fautes.

Votre camarade vous dit qu'il n'est pas convaincu. Il trouve absurde d'employer une machine pour écouter sa propre voix.

Vous lui dites qu'il serait surpris s'il entendait la sienne.

Il répond que vous le rendez curieux et qu'il aimerait bien faire une bande magnétique.

Vous lui dites que c'est facile; il n'a qu'à parler devant le micro.

Il dit que c'est impressionnant; il ne sait plus quoi dire.

Vous lui dites que le micro a enregistré sa phrase et qu'il peut l'écouter.

Après avoir écouté, votre camarade dit qu'en effet il ne reconnaît pas sa voix. Il croyait avoir une voix plus grave, mieux timbrée. Il ajoute que c'est drôle que l'homme en sache si long sur l'univers et si peu sur lui-même.

D. Questions générales

1. Quelles sont les émissions que vous préférez à la radio? à la télévision? Quelles sont celles qui ne vous intéressent pas?
2. En France, il n'y a pas de publicité à la télévision. Quels sont les avantages et les inconvénients de cet état de choses?
3. En France, les programmes de la télévision sont généralement annoncés par des speakerines. Préférez-vous le système américain d'avoir surtout des speakers?
4. Dans quels cas la radio et la télévision remplacent-elles avantageusement les journaux?
5. Qu'est-ce que la télévision apporte dans la vie quotidienne? Est-ce qu'elle présente des dangers pour les enfants?
6. Pourquoi la télévision ne peut-elle pas remplacer entièrement le cinéma?
7. Citez quelques produits importés de France par les États-Unis. Citez quelques produits exportés en France par les États-Unis.
8. Le philosophe français du dix-huitième siècle Voltaire a dit: «Le superflu, chose si nécessaire . . . » En prenant comme exemple les ustensiles électro-ménagers, montrez comment ces ustensiles, ignorés de nos aïeux, sont devenus nécessaires.
9. Dans quelles régions des États-Unis le commerce est-il le plus actif?
10. Quelles sont les qualités d'un bon commerçant? Prenez comme exemple un épicier.

E. Sujets de compositions écrites ou orales

1. La journée d'un commerçant.
2. La télévision et moi.

Quatrième leçon

MADAME LEGRAND
N'A PAS UNE MINUTE À PERDRE

Henriette Legrand se dirige vers le téléphone, soulève le récepteur, compose un numéro.

HENRIETTE.—Allô! Lucie?

LUCIE.—Ah, Henriette. Tout va bien chez vous?

HENRIETTE.—Mon mari et mes enfants vont bien. Mais, moi, [5 j'ai un travail fou. Vous savez que mes parents sont chez moi en ce moment; de plus, ma sœur et son mari arrivent à Paris aujourd'hui. Ils descendent à l'hôtel, heureusement, mais ils viennent dîner à la maison, ce soir, avec leurs enfants. Onze personnes à table! Vous vous rendez compte? [10

LUCIE.—Je vois qu'en effet vous n'avez pas une minute à perdre.

HENRIETTE.—A qui le dites-vous? Avant même de m'occuper du dîner, il faut que je fasse le ménage, que j'aille faire les provisions, que je prépare le déjeuner pour mes enfants.

LUCIE.—Donnez-leur des sandwichs pour leur déjeuner. [15 Comme ça, vous n'aurez pas de vaisselle à laver.

HENRIETTE.—Peut-être . . . Je pensais faire une omelette. Enfin, je verrai. Si seulement les enfants voulaient bien m'aider. Mais non. Ils ont toujours mille et une raisons pour ne pas faire leur lit, laisser leur chambre en désordre. Vraiment, tout me tombe sur le dos dans [20 cette maison.

LUCIE.—Je suis sûre que votre fille . . .

HENRIETTE, l'interrompant.—Frédérique est pire que les garçons. Elle ne sait même pas mettre le couvert. Couteaux, fourchettes, cuillers, assiettes, verres, tout se promène au petit bonheur sur la nappe. [25

LUCIE.—Il faut lui apprendre.

HENRIETTE.—Vous vous imaginez que j'ai le temps? Ah, mon Dieu! Je n'ai pas de nappe propre. Il va falloir que j'en lave et que j'en repasse une avant ce soir.

LUCIE.—Il me semble que vous avez des napperons. [30

HENRIETTE.—C'est vrai, je n'y pensais plus. Où diable les ai-je mis la dernière fois que je les ai employés. Dans l'armoire à linge, il me semble. Non, j'ai dû les mettre dans un des tiroirs du buffet de la salle à manger. A moins que je ne les aie laissés dans la cuisine.

LUCIE.—Je vois que vous êtes très occupée. Moi-même, je suis [35 en train de mettre des rideaux neufs aux fenêtres de la salle de séjour et je voudrais avoir fini avant . . .

HENRIETTE, l'interrompant.—Des rideaux neufs? Comment sont-ils? Où les avez-vous achetés?

LUCIE.—Ils sont en nylon blanc. Je les ai achetés au PRINTEMPS. [40 Il me tarde . . .

HENRIETTE, l'interrompant.—On m'a dit qu'ils ont des soldes incroyables en ce moment sur tout le linge de maison. Justement, j'ai besoin de serviettes, de draps, de torchons. Si ce n'était pas de ce dîner, j'irais y faire un tour. Dites-moi si c'est une bonne idée; j'ai envie de [45 faire des escalopes de veau pour ce soir, des escalopes panées.

LUCIE.—Des escalopes pour onze personnes! Vous n'en finirez jamais. Faites un rôti de veau ou de porc. Ça se fait tout seul.

HENRIETTE, hésitant.—Oui, en effet, peut-être. Je déciderai quand je serai chez le boucher. Il faudra que j'aille aussi chez le bou- [50 langer, le patissier, le marchand de légumes. Mon Dieu, c'est fou. Je ne serai jamais prête à temps.

LUCIE.—C'est pourquoi je crois qu'il vaut mieux . . .

HENRIETTE, l'interrompant.—Vos rideaux, vous les avez achetés tout faits? [55

LUCIE.—Non, je les ai faits moi-même.

HENRIETTE.—Je ne sais pas comment vous trouvez le temps de coudre. Et vous faites vous-même votre lessive!

LUCIE.—Avec une machine à laver, ce n'est rien du tout.

HENRIETTE.—Vous trouvez? Moi, il me faut des heures . . . Ah, [60 mon Dieu, mes serviettes ne sont pas repassées! Et le ménage, le déjeuner, les courses . . . Comment peut-on s'y prendre pour tout faire dans une maison?

LUCIE, entre ses dents.—On fait couper le téléphone.

HENRIETTE.—Vous dites? [65

LUCIE, avec fermeté.—Je disais qu'il faut que je vous dise au revoir.

HENRIETTE.—Vous avez raison. Je n'ai pas une minute à perdre aujourd'hui.

A. Questions sur le texte

1. Pourquoi Henriette n'a-t-elle pas une minute à perdre?
2. Qu'est-ce qu'il faut qu'elle fasse ce matin-là?
3. Qu'est-ce qu'elle comptait faire pour le déjeuner?
4. De quoi se plaint-elle?
5. Qu'est-ce que Frédérique ne sait pas faire?
6. Quelle excuse Henriette donne-t-elle pour ne pas avoir appris à sa fille à mettre le couvert?
7. Où Henriette peut-elle avoir mis les napperons?
8. A quoi Lucie était-elle occupée quand Henriette a téléphoné?
9. En quel tissu sont les rideaux que Lucie est en train de mettre aux fenêtres?
10. Pourquoi Henriette s'intéresse-t-elle aux soldes du PRINTEMPS?
11. Qu'est-ce qu'Henriette a envie de faire pour le dîner?
12. Chez quels marchands doit-elle aller pour faire les provisions?
13. Est-ce que Lucie a acheté des rideaux tout faits?
14. De quoi Lucie se sert-elle pour faire la lessive?
15. Combien de temps faut-il à Henriette pour faire la lessive?
16. Quel conseil Lucie donne-t-elle à Henriette?
17. Relevez dans le texte les détails qui montrent qu'Henriette est une mauvaise ménagère.
18. De la même façon, montrez que Lucie est une bonne ménagère.
19. Pourquoi Henriette a-t-elle téléphoné à Lucie?

B. Exercice de vocabulaire

1. Voici la recette des escalopes panées tirée d'un livre de cuisine français:

   Rouler quatre escalopes dans de la farine mélangée à du sel, puis les tremper dans un œuf battu et les rouler dans de la chapelure.

   Dans une sauteuse, faire chauffer fortement deux cuillerées d'huile et 50 grammes de beurre. Y mettre les escalopes, poivrer. Faire cuire cinq minutes de chaque côté. Servir sur une sauce tomate à laquelle on ajoute le jus de cuisson des escalopes.

   Répétez cette recette en employant d'abord la première personne du singulier du présent de l'indicatif, puis mettez-la à l'impératif en employant la seconde personne du singulier.

2. *Trouvez dans le texte des expressions équivalentes aux expressions ou aux mots en italiques:*

a. Elle *va au* téléphone.
b. Mes enfants *sont en bonne santé.*
c. Ils voulaient bien *venir à mon aide.*
d. Il faut que je *nettoie la maison et que je la mette en ordre.*
e. Il faut que j'aille *acheter de quoi faire les repas.*
f. *C'est moi qui fais tout* dans cette maison.
g. Tout se promène *au hasard* sur la table.
h. C'est vrai, *j'avais oublié cela.*
i. *En ce moment, je mets* des rideaux aux fenêtres.
j. Je fais *une promenade* dans le parc.
k. *Je désire* faire des escalopes.
l. Ça se fait *très facilement.*
m. *Vous n'avez pas besoin de me dire ça; je ne le sais que trop.*

C. Exercice de conversation

Demandez à un (ou une) camarade:

1. à quel moment du semestre il (ou elle) a un travail fou.
2. ce qu'il (elle) fait quand il (elle) veut inviter une personne à venir chez lui (elle).
3. ce qu'il (elle) répond quand on lui dit quelque chose qui ne l'étonne pas du tout.
4. comment il (elle) prépare des escalopes panées?
5. comment il faut placer les couteaux, les fourchettes, les cuillers, les assiettes et les verres quand on met le couvert.
6. ce qu'il (elle) achète quand elle va faire les provisions pour le dîner?
7. si on enseigne à faire la cuisine dans les cours d'économie domestique à l'université.
8. où il (elle) descendrait s'il (si elle) allait à Paris.
9. où il (elle) va dîner ce soir.
10. comment on fait un sandwich.
11. ce qu'il (elle) a pris pour son petit déjeuner ce matin.
12. ce qui donne le moins de travail à la cuisinière: un rôti ou des escalopes.
13. quelles sont les qualités d'une bonne ménagère.
14. quels sont les défauts d'une mauvaise ménagère.
15. pourquoi le nylon est un tissu pratique.
16. s'il (si elle) se rappelle les numéros de téléphone de ses amis ou s'il (si elle) est toujours obligé (obligée) de les chercher dans l'annuaire.

17. si les aliments congelés et en conserves sont aussi bons pour la santé que les aliments frais.

D. Questions générales

1. Aidez-vous quelquefois aux travaux du ménage chez vous? Si oui, qu'est-ce que vous faites? Si non, expliquez pourquoi vous ne vous occupez pas du ménage chez vous.
2. Quand vous quittez votre chambre, le matin, la laissez-vous en ordre ou en désordre?
3. Autrefois un mari n'aidait jamais sa femme à faire le ménage. En est-il de même aujourd'hui?
4. Recevez-vous beaucoup de coups de téléphone? En donnez-vous beaucoup?
5. Qu'est-ce que vous faites quand vous entendez la sonnerie du téléphone?
6. Qu'est-ce que vous faites quand vous voulez donner un coup de téléphone?
7. Parlez-nous d'un coup de téléphone qui vous a fait plaisir.
8. Parlez-nous d'un coup de téléphone qui vous a fait de la peine.
9. Citez des cas où le téléphone rend de grands services.
10. Dans quelles circonstances êtes-vous irrité (irritée) par le téléphone?
11. Citez différentes façons de perdre du temps.
12. Quelle est votre façon favorite de perdre votre temps?
13. Citez une circonstance où le temps passe vite; une circonstance où le temps vous paraît long.
14. Est-ce que vous gagnez du temps quand vous faites de la vitesse en auto?
15. Expliquez le proverbe: Le temps perdu ne se retrouve jamais.

E. Sujets de compositions écrites ou orales

1. Un dialogue au téléphone.
2. Traduisez en français une recette prise dans un livre de cuisine américain.

Cinquième leçon

En Auvergne

Nous menons une vie pleine d'imprévu, nous autres voyageurs de commerce. Il vient de m'arriver une drôle d'aventure, drôle, tout au moins, pour quelqu'un qui croyait ce que l'on raconte à Paris des paysans auvergnats. Je m'imaginais donc que c'étaient des gens durs, avares, ignorants, silencieux, autrement dit des barbares. [5

Je me trouvais à une cinquantaine de kilomètres de Clermont-Ferrand lorsque ma voiture s'arrêta. Une panne d'essence. J'avais oublié de faire le plein à Aurillac. Je me trouvais devant une ferme. Deux paysans, deux colosses, sortaient de la grange: visages durs, bronzés, barrés de longues moustaches tombantes, blanches chez le plus âgé, blondes [10 chez l'autre. J'expose ma situation, tout en me disant que c'était peine inutile et qu'ils allaient certainement m'envoyer promener. Pas du tout. Le vieux se tourne vers un petit garçon d'une dizaine d'années qui me contemplait d'un air méditatif:

—Va au village. Tu diras au garagiste qu'il apporte un bidon [15 d'essence pour monsieur.

L'enfant part en courant. Je demande au vieux:

—C'est loin, le village?

—Cinq bons kilomètres.

—C'est beaucoup pour de petites jambes, dis-je. [20

Les deux hommes se mettent à rire; le plus âgé me dit:

—Mais non. Notre Jeannot fait ça matin et soir quand il va à l'école. Il est très intelligent. L'instituteur va lui faire obtenir une bourse au lycée de Clermont-Ferrand. Mais, il fait froid ici. Entrez donc vous chauffer. [25

Étonné par cet aimable accueil, j'entre dans une immense salle. Je n'avais jamais rien vu de pareil. Plafond bas d'où pendaient des jambons, des saucissons; deux lits fermés par des rideaux rouges; une batterie de cuisine en cuivre qui brillait comme un soleil; une énorme cheminée avec un petit banc de chaque côté de l'âtre comme au [30 Moyen Age. Sur le feu, une grande marmite et une petite.

—La grande, c'est pour les cochons; la petite, c'est pour nous, dit le vieux en riant de ce qu'il considérait comme une excellente plaisanterie. Il ajouta tandis que nous nous asseyions devant le feu:

—Hein, une bonne flambée, c'est bien mieux que le chauffage [35 central.

—Je ne trouve pas, dit le fils en souriant.

—Quand j'aurai décidé de me reposer, tu feras tout ce que tu voudras. Tu seras le maître. Pour le moment, c'est moi qui commande.

Le fils acceptait la situation avec son sourire tranquille. Et moi [40 qui croyais l'autorité paternelle morte depuis le dix-huitième siècle.

Une grande et forte femme entrait dans la salle.

—Ah, voilà ma bru, dit le vieux. Donne-nous donc à goûter, Mélanie.

Ah, ce goûter! Un jambon cru qu'on paierait au poids de l'or à [45 Paris; du fromage de Cantal onctueux, savoureux; un verre d'excellent vin rouge.

Le père m'expliquait:

—Ici, nous faisons surtout l'élevage. Nous avons vingt-cinq vaches, dix-huit cochons, trois chevaux, un âne. Ah, dame, c'est du travail. [50 Dix-huit heures par jour, hiver comme été. Et, impossible de trouver des domestiques. La jeunesse préfère la ville. Si nous n'avions pas la fille et le fils, je ne sais pas ce que nous ferions.

A ce moment, un jeune homme et une jeune fille entrèrent dans la salle. Grands et forts, comme leurs parents, ils m'adressèrent un [55 bonjour souriant et se mirent à manger. Je voulais savoir ce que pensait la jeune génération de la vie à la ferme. Je demandai au jeune homme:

—Quelles sont vos distractions?

Avant qu'il ait pu répondre, le grand-père avait pris la parole:

—Il y a les foires. On va au bourg vendre nos bêtes aux gros [60 marchands de bestiaux. Ils essaient toujours d'acheter nos bêtes au plus bas prix, mais on est encore plus malin qu'eux, hein, les gars.

Le fils et le petit-fils eurent le même sourire de satisfaction et le même «Pour sûr» convaincu.

Je m'adressai alors à la jeune fille: [65

—Et vous, mademoiselle, quelles sont vos distractions?

—Le bal, le dimanche, répondit-elle vivement.

—Vous dansez la bourrée, naturellement.

—Oh, non, monsieur. C'est démodé la bourrée. On danse la valse et surtout le cha-cha-cha. [70

Après ça, et le goûter, et la façon obligeante dont j'ai été dépanné, allez donc croire ce qu'on raconte des paysans auvergnats à Paris.

Notes

1. **Auvergne:** province du centre de la France; région de montagnes (Puy de Dôme, Mont-Dore, Cantal), de volcans éteints et de plaines fertiles.
2. **Clermont-Ferrand:** ancienne capitale de l'Auvergne. Elle possède une église du douzième siècle, Notre-Dame-du-Port. C'est une ville industrielle (caoutchouc, industries alimentaires, textiles et métallurgiques).
3. **Aurillac:** Centre commercial (bestiaux); parapluies; galoches; filets de pêche; fromages.
4. **La bourrée:** vieille danse auvergnate.
5. **Fromage du Cantal:** fromage auvergnat qui ressemble au gruyère.

A. Questions sur le texte

1. Où se trouve l'Auvergne?
2. Que savez-vous de Clermont-Ferrand?
3. Quelle profession exerce le narrateur?
4. Comment imaginait-il les paysans auvergnats?
5. Où se trouvait-il quand il a eu une panne d'essence?
6. Décrivez les deux paysans qui sortaient de la grange.
7. Comment le vieux a-t-il dépanné le narrateur?
8. Que fait Jeannot, matin et soir, quand il va à l'école?
9. Où Jeannot va-t-il finir ses études?
10. Décrivez la salle dans laquelle entre le narrateur.
11. Qu'est-ce que le vieux fermier préfère au chauffage central?
12. Que fera le fils quand le père aura décidé de se reposer?
13. Qu'est-ce qui surprend le narrateur dans les relations du père et du fils?
14. Décrivez le goûter offert par le fermier.
15. De quels animaux le fermier fait-il l'élevage?
16. Combien d'heures par jour les fermiers travaillent-ils?
17. Pourquoi est-il difficile de trouver des domestiques?
18. Comment sont le jeune homme et la jeune fille qui entrent dans la salle?
19. Qu'est-ce que le narrateur voulait savoir?
20. Qu'est-ce que le grand-père considère comme une distraction?

21. Quelle est la distraction favorite de la jeune fille?
22. Qu'est-ce que c'est que la bourrée?
23. Qu'est-ce qui a étonné le narrateur pendant toute cette aventure?
24. Qu'est-ce que le narrateur a décidé de ne plus jamais croire?
25. Quelle sorte de vie mène cette famille auvergnate?

B. Exercice de vocabulaire

Complétez les phrases suivantes à l'aide de mots ou d'expressions trouvés dans le texte:

1. Un homme qui voyage de ville en ville pour vendre certains produits est un ____.
2. Le contraire de doux est ____, de généreux est ____, de bavard est ____, de civilisé est ____.
3. Au lieu de dire à peu près cinquante kilomètres on peut dire ____ de kilomètres.
4. Quand vous faites remplir d'essence le réservoir de votre auto, vous ____.
5. L'homme qui tient un garage s'appelle un ____.
6. Aider quelqu'un à sortir d'embarras, c'est le ____.
7. On peut dire commencer à rire ou ____ à rire.
8. On dit ma belle-fille ou ma ____.
9. L'ensemble des ustensiles dont on se sert pour faire la cuisine est une ____.
10. J'ai payé ce jambon très, très cher; je l'ai payé au ____.
11. Le fermier travaille dix-huit heures ____ jour.
12. Il n'a pas voulu m'aider; il m'a envoyé ____.
13. Le grand-père s'était mis à parler; il avait ____.
14. Vous pouvez dire: c'est un amusement ou c'est une ____.
15. Les foires ont lieu au ____.
16. Si vous achetez un cheval aussi bon marché que possible vous l'achetez au ____.
17. C'est à la jeune fille que j'ai parlé; c'est à elle que je me ____.
18. Ce chapeau n'est plus à la mode; il est ____.
19. Un repas léger pris vers quatre heures de l'après-midi s'appelle un ____.

C. Exercice de conversation

Transformez le texte suivant en dialogue. Employez la deuxième personne du singulier.

François demande à Charles ce qu'il a fait pendant les vacances de Pâques.

Charles répond qu'il les a passées à la ferme de son oncle.

François demande à Charles s'il a aidé aux travaux de la ferme.

Charles répond affirmativement. Il a conduit un tracteur, donné du foin aux bœufs et a failli recevoir un coup de corne, a réussi à traire une vache mais a reçu un coup de queue en pleine figure.

François demande à Charles s'il a profité de son séjour pour monter à cheval.

Charles dit qu'il a monté un cheval de labour qui refusait d'aller autrement qu'au pas et que, s'il avait fait la course avec un escargot, l'escargot aurait gagné.

François dit qu'il voit bien que ce séjour à la ferme avait dû être bien ennuyeux.

Charles dit que non, qu'il avait appris à connaître les animaux et que c'était très amusant: que les poules, par exemple, étaient d'une vanité incroyable; que, chaque fois qu'elles avaient pondu un œuf, elles poussaient des cris triomphants comme si chacune d'elles était la première poule qui ait jamais pondu un œuf.

François dit qu'il n'aime pas les animaux et que la vanité des poules n'aurait pas suffi à rendre amusant un séjour dans une ferme.

Charles dit qu'il voit bien que François est l'homme des grandes villes et qu'il y perd beaucoup, que se lever à cinq heures du matin procure une sorte d'exaltation, que c'est émouvant de voir la campagne s'éveiller.

François dit qu'il croit Charles sur parole mais que lui-même préfère laisser le soleil se lever tout seul.

Charles dit qu'il y a une distraction offerte par la vie à la campagne que Charles ne méprisera pas: c'est le bal, le dimanche après-midi; que les jeunes paysannes dansent très bien.

François dit que, dans ce cas, il voulait bien aller à la campagne mais seulement le dimanche après-midi.

D. Questions générales

1. Quel jour commence le printemps? l'été? l'automne? l'hiver?
2. Comment sont les arbres en hiver? en été?
3. Décrivez la neige à la campagne; en ville.
4. Que souhaitent les fermiers quand il pleut continuellement?
5. Que souhaitent les fermiers quand le temps reste sec et beau pendant plusieurs mois de suite?

6. Expliquez pourquoi le beau et le mauvais temps jouent un rôle important dans la vie du fermier.
7. Comment les machines agricoles ont-elles transformé la vie du fermier?
8. Donnez le nom d'une université américaine où se trouve une école d'agriculture.
9. Que signifie le proverbe: Tant vaut l'homme, tant vaut la terre. Ce proverbe est-il toujours exact?
10. Quand dit-on qu'il fait un temps hors de saison?
11. En quelle saison les habitants des villes voudraient-ils être à la campagne?
12. Quelles sont les régions des États-Unis où on fait beaucoup d'élevage?
13. Quelles sont les régions les plus fertiles aux États-Unis?
14. Quels sont les animaux domestiques que vous connaissez?
15. Dans quelles régions des États-Unis y a-t-il des courses de chevaux?
16. Expliquez l'expression: Il est bête à manger du foin.

E. Sujets de compositions écrites ou orales

1. Une journée à la ferme.
2. Imaginez la vie d'un fermier américain au dix-huitième siècle. Comparez-la avec la vie d'un fermier américain de nos jours.
3. Un chat ou un chien que vous connaissez bien: Comment s'appelle-t-il? Demande-t-il beaucoup de soins? A-t-il une longue queue? Son poil est il rude ou soyeux? Quelles sont ses occupations favorites?

Sixième leçon

QUESTION D'AUTHENTICITÉ

Le restaurant LA BRETAGNE À PARIS. Spécialités: poissons et crustacés. Les serveuses portent le costume régional breton. Quatre étudiants, Henri, Madeleine, Pierre et Nadine, entrent dans le restaurant, s'installent à une table libre.

HENRI.—Enfin, nous y voilà. C'est gentil ici, hein? [5

MADELEINE, avec une moue.—Je ne trouve pas.

HENRI, moqueur.—Mademoiselle est difficile. Mademoiselle voudrait qu'on l'emmène à LA TOUR D'ARGENT.

MADELEINE, riant.—Mais non. Je déteste et les restaurants de luxe et le canard. Je voulais dire simplement que ce restaurant-ci [10 manque d'authenticité. Les servantes ne sont pas de vraies Bretonnes et ces aquariums, ces filets de pêche, qu'est-ce que cela signifie en plein Paris?

NADINE.—Nous discuterons plus tard. Pour le moment, consultons la carte. Je meurs de faim. [15

PIERRE.—La voix de la sagesse. Prenons-nous au prix fixe ou à la carte?

HENRI.—A la carte, c'est plus drôle. Par quoi commences-tu, Nadine, l'affamée?

NADINE.—Soupe de poissons à la bretonne. Cela s'impose, ici. [20

MADELEINE.—Je parie qu'elle n'aura rien de breton, ta soupe. Moi, je prends un potage printanier.

HENRI.—Il ne peut pas être authentiquement printanier, ton potage, puisque nous sommes en été. Ce qui m'ennuie car j'aurais aimé des huîtres. Je me décide pour un potage aux poireaux et pommes de [25 terre.

PIERRE.—Moi, pour les hors-d'œuvres variés. Je sais très bien que la coutume est d'avoir les hors-d'œuvres avec le déjeuner et non le dîner mais je suis anti-conformiste.

NADINE.—Voyons: côtelette d'agneau, poulet rôti, rôti de veau. [30 Non. Je me laisse tenter par le homard à l'américaine.

MADELEINE.—Comme spécialité bretonne . . .

HENRI.—Ma petite fille, tu devrais savoir que «à l'américaine» est une corruption de «à l'armoricaine» et que l'Armorique . . .

PIERRE.—Tu nous feras un discours instructif une autre fois. [35 Alors, Madeleine, ce sera?

MADELEINE.—Un filet de sole.

HENRI.—Moi, un bifteck.

MADELEINE.—Où que nous allions, tu prends toujours un bifteck.

HENRI.—Parce que le bifteck est la base d'un repas qui se res- [40 pecte. La preuve, c'est qu'on ne dit plus gagner sa vie mais gagner son bifteck.

PIERRE.—Tu auras ton bifteck. Moi, bœuf bourguignon.

HENRI.—Voyons, les légumes. Madeleine?

MADELEINE.—Haricots verts. [45

NADINE.—Chou-fleur.

PIERRE.—Épinards.

HENRI.—Moi, pommes de terre frites. Tout le monde prend de la salade?

TOUS.—Naturellement. [50

UNE SERVEUSE.—Ces messieurs, dames ont choisi?

HENRI.—Pour mademoiselle, soupe de poisson, homard à l'américaine, chou-fleur; pour mademoiselle, un potage printanier, une sole et un haricot vert; pour monsieur, un hors-d'œuvres, un bœuf bourguignon, un épinard; pour moi, une soupe aux poireaux, bifteck et frites. [55 Salade pour tout le monde. Un carafon de vin blanc et un carafon de vin rouge.

LA SERVEUSE.—Bien monsieur.

NADINE.—Vous avez un bien joli costume.

LA SERVEUSE.—Un peu chaud pour servir. *(Elle part.)* [60

MADELEINE.—C'est vrai qu'elle doit avoir chaud. O, couleur locale, que de crimes on commet en ton nom!

HENRI.—Bah, ça doit l'amuser de porter un costume aussi joli. Si on choisissait les desserts tout de suite?

MADELEINE.—Pour moi, c'est tout décidé: une poire. [65

NADINE.—Une crême au chocolat . . . non, des crêpes.

PIERRE.—Un camembert, le roi des fromages.

HENRI.—Et, pour moi, une glace à la vanille, non, aux fraises, non, à l'ananas.

PIERRE.—Décide-toi. [70

HENRI.—A la framboise. Maintenant, nous n'avons plus qu'à attendre, une attente délicieuse, comme dirait Gide.

MADELEINE.—Bien démodé, ce pauvre Gide.

NADINE.—Mais non . . .

(La conversation continue.) [75

(Une heure plus tard.)

HENRI.—Eh bien, comment le trouvez-vous, mon restaurant?

PIERRE.—L'addition m'a réjoui le cœur. Ce n'était vraiment pas cher.

MADELEINE.—Ce restaurant n'est pas d'un breton authentique, mais on y mange drôlement bien. [80

NADINE.—Et comment.

Notes

1. **La Bretagne:** région de la France de l'Ouest. La pêche est la principale ressource de cette région.
   Le costume breton ne se porte plus guère. Il est de couleur noire, corsage ajusté, manches et jupe très larges brodées de couleurs vives. Avec ce costume, les Bretonnes portent un bonnet de dentelle blanche.
2. **La Tour d'Argent** est un restaurant renommé à Paris. La spécialité est le canard.
3. **Armorique:** ancien nom de la Bretagne.
4. **Homard à l'américaine:** homard cuit dans une sauce à la tomate et au cognac.
5. **Bœuf bourguignon:** ragoût de bœuf au vin rouge.
6. **«O, couleur locale, que de crimes on commet en ton nom!»:** parodie des paroles de madame Roland, une des victimes de la Terreur pendant la Révolution: «O, Liberté, que de crimes on commet en ton nom!»
7. **Gide, André, (1869-1951),** écrivain français, né à Paris. Dans ses œuvres, il montre les dangers que présente la soumission au conformisme.

A. Questions sur le texte

1. Décrivez le restaurant dans lequel entrent les quatre étudiants.
2. Pourquoi Henri a-t-il amené ses amis au restaurant LA BRETAGNE À PARIS?
3. Qu'est-ce que Madeleine reproche au restaurant?
4. Que signifient les expressions: au prix fixe? à la carte?

5. Pourquoi Nadine veut-elle consulter la carte tout de suite?
6. Pourquoi Henri appelle-t-il Nadine: Nadine, l'affamée?
7. Pourquoi Nadine choisit-elle la soupe de poisson à la bretonne?
8. Pourquoi Henri regrette-t-il que l'on soit en été?
9. A quel repas prend-on des hors-d'œuvres ordinairement?
10. Par quel plat Nadine se laisse-t-elle tenter?
11. Quel est l'ancien nom de la Bretagne?
12. Que savez-vous de la Bretagne?
13. Pourquoi Henri prend-il du bifteck?
14. Pourquoi Madeleine dit-elle: «O, couleur locale, que de crimes on commet en ton nom!»?
15. Entre quelles sortes de glaces Henri hésite-t-il?
16. Qu'est-ce que Madeleine pense de Gide?
17. Est-ce que Nadine est de son avis?
18. Qu'est-ce que Pierre apprécie dans ce restaurant?
19. Qu'est-ce que Madeleine reconnaît?
20. Donnez le menu du dîner de chacun des personnages.

B. Exercise de vocabulaire

Complétez les phrases suivantes à l'aide d'expressions ou de mots trouvés dans le texte:

1. Une ____ est une femme qui sert les clients dans un restaurant.
2. Il est presque impossible de lui plaire. Elle est vraiment ____.
3. Les pêcheurs se servent de ____ pour attraper les poissons.
4. Il lui tarde de déjeuner; il est ____; il ____.
5. Quand vous prenez les ____, vous avez sur votre assiette: des salades de pommes de terre et de légumes, du saucisson, du thon et, peut-être, une sardine.
6. Vous croyez que cela m'amuse? Mais non, cela ____ prodigieusement.
7. Un rosbif est un ____ de bœuf.
8. Dans le restaurant LA BRETAGNE À PARIS, les serveuses portent ____.
9. C'est un discours qui vous apprend quelque chose, un discours ____.
10. Au lieu de dire gagner sa vie, on dit quelquefois ____.
11. Ils se sont ____ à une table libre.
12. Ce que vous dites est tout à fait raisonnable; c'est la ____ qui parle.
13. On peut dire: elle a fait la grimace ou elle a fait la ____.
14. C'est une imitation, ce n'est pas ____.

15. On peut dire quel que soit l'endroit où nous allions ou plus simplement ____.
16. Je vous dis que je n'aime pas du tout les restaurants populaires, que je les ____.
17. Ses paroles m'ont fait grand plaisir; elles m'ont ____.
18. Quand un repas au restaurant est fini, il faut demander au garçon ce qu'on appelle quelquefois la douloureuse, c'est-à-dire ____.
19. N'hésitez pas si longuement; ____.
20. Quand vous êtes du même avis qu'une autre personne, vous répondez: « ____ ».

C. Exercice de conversation

Vous supposez que vous êtes français (française) et que vous venez d'arriver aux États-Unis. Vous avez entendu parler du repas du jour d'actions de grâces (thanksgiving dinner) et vous demandez à un (une) camarade américain (américaine):

1. quand a lieu ce repas.
2. quelle en est l'origine.
3. si c'est vrai qu'on sert toujours un dindon farci à ce repas.
4. quels légumes on sert avec le dindon.
5. si c'est vrai qu'on sert toujours une tarte à la citrouille comme dessert.
6. si c'est vrai qu'il y a toujours des noix, des noisettes et des amandes avec le dessert.
7. combien de personnes se trouvaient à table au dernier repas du jour d'actions de grâce auquel il (elle) a assisté.
8. qui étaient ces personnes.
9. comment il (elle) a trouvé le repas.
10. si on a servi du vin, de la bière ou du cidre pendant le repas.
11. si on a pris du thé ou du café après le repas.
12. combien de temps on est resté à table.
13. s'il y avait beaucoup de bruit pendant le repas.
14. si on a chanté au dessert.
15. si les enfants ont été sages.
16. s'il (si elle) a éprouvé le besoin de faire une promenade après le repas.
17. s'il y avait des convives qui ont été faire la sieste.
18. s'il y en avait d'autres qui ont joué au bridge.
19. ce qu'il (elle) a fait lui-même (elle-même) après le repas.

D. Questions générales

1. A quelle heure prenez-vous votre petit déjeuner?
2. De quoi se compose votre petit déjeuner?
3. Pourquoi certains étudiants (et surtout certaines étudiantes) se passent-ils (se passent-elles) de petit déjeuner?
4. A quelle heure déjeunez-vous ordinairement?
5. Y a-t-il un self-service ou libre service (restaurant où l'on se sert soi-même) à votre université?
6. En français, au lieu de dire une heure de l'après-midi, on dit souvent treize heures, deux heures devient quatorze heures et ainsi de suite. En employant cette façon de dire l'heure, à quelle heure dînez-vous?
7. Êtes-vous obligé (obligée) de faire queue pour les repas à l'université?
8. Les internes ont-ils (ont-elles) la permission d'avoir des provisions dans leur chambre?
9. De qui et de quoi parlez-vous pendant les repas à l'université?
10. Combien y a-t-il de restaurants dans la ville que vous habitez?
11. Quels sont les restaurants de différentes nationalités que vous connaissez? Quelle sorte de restaurant préférez-vous?
12. Comment calculez-vous le pourboire que vous laissez au garçon quand vous vous trouvez dans un restaurant?
13. Quand vous attendez qu'on vous serve dans un restaurant, est-ce une «attente délicieuse» ou êtes-vous impatienté (impatientée) et irrité (irritée)?
14. Qu'est-ce que vous emportez quand vous allez faire un pique-nique?
15. Parmi les écrivains que vous connaissez, quels sont ceux qui ont eu le prix Nobel?
16. Citez des régions du globe où les habitants souffrent de la faim. Comment leur vient-on en aide?

E. Sujets de compositions écrites ou orales

1. Un drôle de dîner: Vous comptiez dîner au restaurant. Une tempête de neige vous force à rester à la maison. Vous vous contentez de ce que vous trouvez dans le réfrigérateur et de boîtes de conserves.
2. Un dîner désagréable: Un banquet. Compagnons de table silencieux ou ennuyeux. Mauvaise nourriture. Longs discours.

Septième Leçon

Madame Jallet reviendra

— Je n'ai plus rien à me mettre, dit madame Jallet. Il faut absolument que j'achète une foule de choses cet après-midi.

— Je vais aussi profiter de ce que je suis libre aujourd'hui pour aller faire quelques emplettes, dit monsieur Jallet.

Les deux époux prennent ensemble l'ascenseur, puis se séparent. [5 Monsieur Jallet se dirige vers le BON MARCHÉ qui se trouve à cinq minutes de marche de la maison. Madame Jallet prend l'autobus. Avant d'acheter quoi que ce soit, elle veut d'abord regarder les devantures ou, comme on dit à Paris, lécher les vitrines.

Elle arrive au boulevard Haussmann. Elle s'arrête longuement [10 devant un magasin qui ne vend que des imperméables. Ce rouge-là, avec le petit chapeau assorti, est joli comme tout. Mais trop salissant. Il faudrait l'envoyer chez le teinturier au moins une fois tous les quinze jours. Et puis, un manteau de demi-saison qui fait en même temps imperméable est beaucoup plus pratique. [15

Madame Jallet s'arrête ensuite devant une vitrine qui montre des bijoux fantaisie. Ce gros collier doré, boucles d'oreille et bracelet assortis, ferait très bien avec n'importe quelle robe de teinte unie. Elle entre dans le magasin, essaie le collier. Hélas, elle a le cou trop court. Le collier ne fait pas bien du tout. Elle en essaie d'autres, [20 ne trouve rien qui lui plaise, sort du magasin en disant à la vendeuse:

— Je reviendrai.

La vendeuse hausse les épaules. Si on n'avait que des clients comme ça, on ferait vite faillite.

Madame Jallet aperçoit une robe qui lui plaît beaucoup à la [25 devanture du PRINTEMPS, une délicieuse petite robe en jersey vert cyprès. Exactement ce qu'il lui faut pour les soirées au théâtre ou chez des amis.

Elle entre dans le magasin d'un pas décidé. Mais, en passant devant le comptoir des gants, elle aperçoit une occasion exceptionnelle: [30 des gants en nylon, lavables, et qui imitent le daim à s'y méprendre. Cinq francs; c'est pour rien. Elle en essaie une paire; ils lui vont très bien. Mais quelle teinte prendre? Elle ne peut décider pour le moment. Elle reviendra quand elle aura acheté la robe.

Elle traverse le rayon de la chaussure. Les souliers de sport [35 sont laids, trop lourds. En revanche, ces escarpins aux talons fins comme des aiguilles, sont irrésistibles. Elle ne résiste pas et la voilà assise au milieu d'une foule compacte d'acheteuses impatientes et de vendeurs affairés.

Une grosse dame, à côté d'elle, essaie de faire entrer un pied [40 qui demande un trente-neuf dans un trente-sept.

— Peut-on être aussi stupide, pense madame Jallet qui, elle, chausse du trente-six et n'a pas besoin de se torturer pour paraître avoir un petit pied.

Elle jette un coup d'œil à sa montre: quatre heures et demie. [45 Mon dieu, que le temps passe vite. Elle achètera des souliers une autre fois.

Elle se dirige vers l'ascenseur. En traversant le rayon de lingerie, elle aperçoit une chemise de nuit ravissante. Elle hésite un instant. Va-t-elle l'acheter? Elle croit se rappeler avoir vu le même article [50 au BON MARCHÉ et moins cher. Et puis, il faut d'abord acheter la robe vert cyprès.

L'ascenseur lui paraît bien lent. Elle court presque pour arriver plus vite au rayon du prêt à porter.

Quelle chance! Il n'y a plus beaucoup de monde à cette heure [55 tardive. Une vendeuse s'approche:

— Vous désirez?

— Je voudrais essayer la robe vert cyprès que vous avez à la devanture.

Pendant que la vendeuse cherche la robe, madame Jallet jette un coup d'œil autour d'elle. Ce chemisier en flanelle grise serait bien [60 pratique, cette robe de lainage rouge lui irait très bien, ce tweed noir et feu a énormément de chic. Et les robes de cocktail . . .

Dans le salon d'essayage, madame Jallet essaie une douzaine de robes. La vendeuse, d'abord aimable, a maintenant un sourire crispé; elle n'est pas du tout étonnée lorsque sa cliente, de plus en plus [65 indécise, déclare:

— Je vais réfléchir; je reviendrai.

De retour chez elle, madame Jallet trouve son mari lisant paisiblement son journal.

— Alors, tes emplettes? demande-t-elle. [70

Monsieur Jallet sourit avec satisfaction:

— J'ai acheté une douzaine de mouchoirs, quatre paires de chaussettes, trois chemises, deux cravates, des souliers, un complet, un pardessus, un imperméable et deux pyjamas. Et toi?

— Une paire de bas, gémit madame Jallet. [75

A. Questions sur le texte

1. Qu'est-ce que monsieur et madame Jallet vont faire cet après-midi?
2. Où monsieur Jallet va-t-il faire des emplettes?
3. Qu'est-ce que madame Jallet veut faire avant d'acheter quoi que ce soit?
4. Pourquoi n'achète-t-elle pas l'imperméable rouge?
5. Qu'est-ce qu'elle désire acheter dans le magasin de bijoux fantaisie?
6. Pourquoi n'achète-t-elle pas le collier?
7. Qu'est-ce qu'elle dit à la vendeuse?
8. Que pense la vendeuse après le départ de madame Jallet?
9. Décrivez la robe que madame Jallet aperçoit à la devanture du PRINTEMPS.
10. Comment entre-t-elle dans le magasin?
11. Qu'est-ce qu'elle aperçoit en passant devant le comptoir des gants?
12. Pourquoi n'achète-t-elle pas de gants?
13. Qu'est-ce qu'elle remarque tandis qu'elle traverse le rayon de la chaussure?
14. Qu'est-ce que la grosse dame essaie de faire?
15. Qu'est-ce que madame Jallet découvre quand elle jette un coup d'œil à sa montre?
16. Qu'est-ce qu'elle prend pour arriver au rayon du prêt à porter?
17. Combien de robes essaie-t-elle?
18. Qu'est-ce qu'elle déclare à la vendeuse?
19. Qu'est-ce que monsieur Jallet a acheté?
20. Qu'est-ce que madame Jallet a acheté?
21. Lequel des deux a le mieux employé son après-midi?

B. Exercice de vocabulaire

Complétez les phrases suivantes à l'aide d'expressions ou de mots pris dans le texte:

1. Quand certaines femmes ont envie de vêtements neufs, elles disent qu'elles n'ont plus _____.
2. On dit faire des courses ou faire _____.
3. A Paris, au lieu de dire regarder les vitrines, on emploie une drôle d'expression; on dit: _____ les vitrines.

4. Quand il pleut, on porte un ____.
5. Au printemps et en automne on porte un manteau de ____.
6. Je n'ai rien à faire cet après-midi; René, au contraire, a ____.
7. Quand un vêtement est sale, il faut l'envoyer chez le ____.
8. Vous ne pouvez pas savoir si ce complet vous va bien si vous ne ____.
9. Autour du cou, elle porte un ____; au poignet, elle porte un ____; aux oreilles, elle porte des ____.
10. Ce pauvre homme n'a pas réussi dans les affaires; il a ____.
11. J'aime beaucoup ce chapeau; il me ____ énormément.
12. Ces gants sont très jolis, lavables et très bon marché; c'est une ____.
13. Si vous marchez beaucoup, il faut acheter des ____.
14. Pour aller d'un étage à un autre, on prend ____.
15. Vous trouvez les vêtements tout faits dans le rayon du ____.
16. Les différents tissus employés pour les robes d'hiver sont: la ____, le ____, le ____.
17. Elle n'avait plus un sourire aimable mais, au contraire, un sourire ____.
18. En hiver, les hommes portent un ____.
19. Ce chapeau est horriblement laid; il est laid comme ____.

C. EXERCICE DE CONVERSATION

Transformez le texte suivant en dialogue:

Votre camarade John vous dit qu'il a besoin d'un complet.

Vous lui demandez s'il désire un complet fait sur mesure ou un complet tout fait.

Il répond qu'il préfère un costume tout fait, en tweed de préférence, mais qu'il ne sait pas où aller.

Vous répondez qu'il y a des magasins de vêtements pour hommes un peu partout à Paris mais qu'il aura plus de choix s'il va boulevard Haussmann.

Il vous demande s'il fait froid à Paris en hiver.

Vous lui dites qu'il ne fait pas terriblement froid mais que, tout de même, il fera bien de s'acheter un sweater de laine et un pardessus d'hiver.

Il vous dit qu'il lui faut aussi une paire de chaussures.

Vous répondez que vous connaissez un très bon magasin qui s'appelle: CHEZ CHARLES, LE CHAUSSEUR SACHANT CHAUSSER.

Il vous dit que c'est un drôle de nom, difficile à prononcer, et qu'il ira dans ce magasin rien qu'à cause du nom. Il demande si les pointures sont les mêmes en France et aux États-Unis?

Vous lui dites que non; s'il chausse du dix, il faudra qu'il demande du quarante mais que, de toute façon, il vaudra mieux qu'il demande au vendeur de prendre ses mesures.

Il vous demande ensuite où il peut acheter des chemises.

Vous lui répondez que vous connaissez un magasin qui s'appelle: AUX CENT MILLE CHEMISES.

Il dit qu'il ira certainement dans ce magasin car il doit y avoir un grand choix.

D. Questions générales

1. Comment êtes-vous habillé (habillée) aujourd'hui?
2. Comment votre voisin (voisine) de droite est-il (est-elle) habillé (habillée) aujourd'hui?
3. A quel moment de l'année porte-t-on un manteau de fourrure?
4. A quel moment de l'année les étudiantes portent-elles des robes de coton?
5. Comment s'habille-t-on pour jouer au tennis?
6. Quand les étudiants portent-ils des smokings et les étudiantes des robes de soirée?
7. Les jupes se portent-elles longues ou courtes cette année?
8. Quand portez-vous un chapeau?
9. Quand portez-vous des shorts?
10. A quelle occasion portez-vous un costume de bain?
11. Que faites-vous quand vous voulez acheter des vêtements?
12. Comment trouvez-vous la mode cette année?
13. Quelle particularité présente la mode masculine cette année?
14. Décrivez une étudiante habillée d'une façon ridicule.
15. Du point de vue social, quelle a été la conséquence du prêt à porter bon marché?
16. Est-il vrai que les femmes ne savent pas choisir des cravates qui plaisent aux hommes? Quelle est votre expérience personnelle à ce sujet?
17. On dit que «L'habit ne fait pas le moine». Que signifie ce proverbe?

E. Sujets de compositions écrites ou orales

1. Un dialogue entre un vendeur et vous.
2. Vous voulez acheter des cadeaux de Noël pour vos parents et amis: A quel magasin allez-vous? Comment est-il décoré? La foule. Les vendeurs sont-ils aimables? Avez-vous de la peine à vous faire servir? Trouvez-vous ce que vous voulez? Faites-vous envoyer les objets que vous achetez par le magasin ou préférez-vous faire vos paquets vous-même?
3. Les vêtements et moi.

Huitième leçon

Des goûts et des couleurs . . .

C'est le premier repas en famille depuis le retour des grandes vacances. Monsieur Huet contemple les visages bronzés de ses enfants, le visage heureux et animé de sa femme.

—Alors, demande-t-il, on a passé de bonnes vacances?

—Pour ça, oui, répond toute la famille en chœur et avec enthousiasme [5

Monsieur Huet est très content. Il avait eu du mal à arranger des vacances qui plaisent à tous les membres de sa famille, cette bande d'individualistes féroces, comme il les appelait parfois. En effet, sa femme tenait à visiter le plus grand nombre possible de monuments [10 historiques. Jean, l'aîné des enfants, voulait faire un voyage en Espagne. Françoise ne rêvait que nage, ski nautique, explorations sous-marines. Paul s'était mis dans la tête de faire de l'alpinisme. Il était raisonnable. A douze ans, il ne s'agissait pas de faire l'ascension du Mont Blanc; mais il lui fallait des hauteurs à escalader. Quant à monsieur Huet, [15 tout ce qu'il désirait, c'étaient de bons repas et un hôtel confortable. Voici comment ce bon père de famille réussit à satisfaire tout le monde.

Il offrit à Jean un scooter pour sa fête. Jean trouva immédiatement deux camarades, également munis de scooters, qui ne demandaient pas mieux que de faire un voyage en Espagne. Il en coûtait à sa mère [20 de laisser son fils partir à l'aventure; mais elle savait qu'un garçon de dix-huit ans a besoin de se sentir indépendant.

Pour le reste de la famille, monsieur Huet dressa l'itinéraire suivant: Paris, Tours, Clermont-Ferrand, Lyon, Chamonix, Marseille, Cassis. Et c'est ainsi que le 2 juillet, l'auto des Huet roulait sur la route [25 de Tours.

Monsieur Huet est d'ordinaire un homme sage, posé, modéré; mais au volant, c'est un véritable démon. Il fait de la vitesse. Il essaie toujours de doubler les autres voitures. Quand un autre chauffeur va trop lentement à son gré, il lui crie: «Eh bien, alors, vous prenez [30 racine?» Les enfants adorent cette façon de voyager. Madame Huet préférerait une allure plus modérée mais elle sait que son mari est un chauffeur habile et, au fond, assez prudent.

A Tours, Françoise et Paul louèrent des bicyclettes et firent de longues promenades aux environs de la ville. Madame Huet visita le [35 musée et la cathédrale. Monsieur Huet, lui, s'installait dans un des jolis parcs et se livrait à son sport favori: les mots croisés. Le soir, après un bon repas dans un restaurant choisi par ce gourmand de monsieur Huet, toute la famille allait visiter un des châteaux de la Loire avec spectacle son et lumière. Les enfants déclaraient que «comme [40 ça, c'était vachement amusant, les monuments historiques».

A Clermont-Ferrand, Paul eut la joie d'escalader le Puy-de-Dôme, en auto, il est vrai, mais c'était déjà quelque chose. A Lyon, madame Huet déclara que le musée était un des plus beaux qu'elle ait jamais vu. A Chamonix, Paul put enfin réaliser son rêve; il fit plusieurs [45 excursions en montagne. Françoise, elle, s'exerçait à faire des plongeons impeccables dans une piscine.

Enfin, quatre semaines à Cassis. Ce petit village, au bord de la Méditerranée, avait été choisi par monsieur Huet parce qu'il permettait à chacun de se livrer à son occupation favorite. Paul allait faire [50 du camping sur les hauteurs environnantes. Françoise nageait du matin au soir et, en bon mari et aussi parce qu'il aimait bien conduire, monsieur Huet emmenait sa femme visiter toutes les villes pittoresques des environs.

Et maintenant, de retour à Paris, autour de la table familiale, [55 il y a un court silence. Chacun pense aux bonnes vacances qui viennent de se terminer. Monsieur Huet savoure, en imagination, une bouillabaisse extraordinaire à Marseille. Madame Huet est à Nîmes: la Maison Carrée, les Arènes; à Avignon avec cet immense Château des Papes . . . Un voyage riche en souvenirs. Jean est à Séville: merveilleuses, [60 ces danseuses. Françoise fait du ski nautique; elle file comme un oiseau entre deux gerbes d'écume. Paul se trouve sur une hauteur d'où il domine Cassis. Un jour, il fera de l'alpinisme, du vrai.

De bonnes vacances! Chacun les voit à sa façon. Ce qui prouve que des goûts et des couleurs, il ne faut pas discuter. [65

Notes

1. **Des goûts et des couleurs, il ne faut pas discuter:** ce proverbe signifie que chacun a le droit d'avoir ses propres préférences.
2. **Spectacle son et lumière:** le soir, certains monuments publics sont

illuminés entièrement ou en partie; l'histoire du monument est racontée par un haut-parleur, souvent avec accompagnement de musique.

3. **Bouillabaisse:** plat de poisson à la tomate et à l'huile d'olive.
4. **Tours:** capitale de la Touraine; centre touristique et universitaire; école de médecine; cathédrale du treizième siècle; industries alimentaires, métallurgiques et chimiques.
5. **Clermont-Ferrand:** voir page 26.
6. **Chamonix:** petite ville au pied du Mont Blanc, centre d'alpinisme et de sports d'hiver.
7. **Cassis:** port et station balnéaire de la côte provençale.
8. **Marseille:** ville de la côte provençale, grand port de commerce, centre industriel très actif.
9. **Nîmes:** tout près de Marseille, importante cité de la Gaule romaine, monuments antiques. Industries textiles.
10. **Avignon:** ville de Provence, siège de la papauté de 1309 à 1377, célèbre pour le Château des Papes. Ville commerçante, construction de matériel agricole.
11. **Lyon:** ville au confluent de la Saône et du Rhône, centre universitaire et commerçial; industries textiles, automobiles, produits chimiques et pharmaceutiques.

A. Questions sur le texte

1. Que signifie le proverbe: Des goûts et des couleurs, il ne faut pas discuter?
2. Où se trouve la famille Huet en ce moment?
3. Que fait monsieur Huet?
4. Pourquoi monsieur Huet est-il content?
5. Pourquoi monsieur Huet avait-il eu du mal à arranger des vacances qui plaisent à tout le monde?
6. Qu'est-ce que sa femme voulait faire pendant les vacances?
7. Qu'est-ce que Jean voulait faire?
8. De quoi Françoise rêvait-elle?
9. Qu'est-ce que Paul s'était mis dans la tête?
10. Qu'est-ce que monsieur Huet désirait?
11. Qu'est-ce que Jean a fait pendant les vacances?
12. Tracez l'itinéraire suivi par la famille Huet.
13. Décrivez monsieur Huet conduisant sa voiture.
14. Quel était le sport favori de monsieur Huet?

15. Qu'est-ce que les enfants ont fait à Tours?
16. Qu'est-ce que madame Huet a visité à Tours?
17. Pourquoi les enfants trouvaient-ils que c'était amusant de visiter les châteaux de la Loire?
18. Qu'est-ce que les Huet ont fait à Clermont-Ferrand?
19. Comment madame Huet a-t-elle trouvé le musée de Lyon?
20. Qu'est-ce que Paul et Françoise ont fait à Chamonix?
21. Pourquoi monsieur Huet avait-il décidé de passer quatre semaines à Cassis?
22. Quels ont été les plaisirs du voyage pour monsieur Huet?
23. Quels monuments historiques madame Huet a-t-elle visités?
24. Qu'est-ce que Jean a vu à Séville?
25. Quel sport Françoise a-t-elle pratiqué?
26. Que fera Paul un jour?

B. Exercice de vocabulaire

Complétez les phrases suivantes:

1. Il a pris des bains de soleil tout l'été et maintenant il a le visage ____.
2. Ce travail était très difficile; j'ai eu ____ à le finir.
3. Il a ses idées à lui; c'est un ____.
4. Il ____ tellement à ses livres qu'il refuse de les prêter même à ses meilleurs amis.
5. C'est un excellent nageur; il a fait des ____ qui lui ont permis de découvrir des bouteilles grecques vieilles de deux mille ans.
6. Il ne demande jamais l'impossible; c'est un garçon ____.
7. Mais oui, je ferai cela pour vous; je ne ____ que de vous aider.
8. Vraiment, il lui était pénible, il lui en ____ de laisser partir son fils.
9. Il conduit très vite; il fait toujours de ____.
10. Il conduit si vite qu'il ____ les autres voitures.
11. Je préférerais que vous alliez plus lentement; j'aime voyager à une ____.
12. Ça m'amuse de deviner les mots qui répondent à telle ou telle définition; j'aime les ____.
13. Pour dire que c'est très amusant, les enfants disent que c'est ____ amusant.
14. Le soir, les châteaux de la Loire sont illuminés de différentes manières tandis que des haut-parleurs racontent leur histoire; c'est ce qu'on appelle un spectacle ____.

15. Ce n'est pas grand-chose mais enfin c'est déjà _____.
16. Les vacances viennent de finir; elles viennent de se _____.
17. C'est le plus âgé des enfants; il est _____.
18. Un jour, il escaladera des montagnes; il fera de _____.
19. Il a décidé, il s'est _____ de partir tout de suite.
20. Pour dire à quelqu'un qu'il ne va pas assez vite, vous dites: «Alors, vous _____?»

C. Exercice de conversation

Demandez à un (ou une) camarade:

1. s'il (si elle) a un permis de conduire.
2. si l'examen pour obtenir un permis de conduire est difficile.
3. s'il (si elle) a jamais eu une contravention pour excès de vitesse ou pour ne pas s'être arrêté (arrêtée) devant un feu rouge.
4. combien il y a d'étudiants qui possèdent un scooter ou une moto à l'université.
5. quels sont les sports d'été qu'il (elle) connaît.
6. quels sont les sports d'hiver qu'il (elle) connaît.
7. quel est le sport le plus dangereux.
8. s'il y a une bonne équipe de foot-ball à l'université.
9. s'il y a une bonne équipe de basket-ball à l'université.
10. s'il (si elle) préfère assister à un match de football ou de basket-ball.
11. ce qu'il (elle) fait quand il (elle) assiste à un match de football.
12. qui est le meilleur joueur de tennis dans la classe.
13. s'il y a une ou plusieurs piscines à l'université.
14. si la nage est obligatoire à l'université.
15. si le crawl est une nage plus rapide que la brasse.
16. s'il (si elle) est bon nageur (bonne nageuse).
17. s'il (si elle) a fait des explorations sous-marines.
18. s'il (si elle) a fait du ski nautique.
19. s'il (si elle) fait du ski en hiver.
20. si on peut faire du patinage à l'université.
21. s'il (si elle) sait monter à cheval.
22. s'il y a un terrain de golf à l'université.
23. ce qu'apprennent les mots croisés.

D. Questions générales

1. Où et comment avez-vous passé les dernières grandes vacances?

2. Si vous deviez voyager en France, quel serait votre itinéraire?
3. Iriez-vous en France par bateau ou par avion? Donnez les raisons de votre choix.
4. Quel est votre sport favori? Où et quand le pratiquez-vous?
5. Dans quelles conditions la marche est-elle un sport amusant?
6. Pourquoi est-il nécessaire de faire du sport?
7. Trouvez-vous que les sports occupent trop ou pas assez de place dans la vie des étudiants?
8. Combien d'heures par semaine consacrez-vous aux sports et à l'éducation physique?
9. Quels sont les avantages du golf?
10. Connaissez-vous des noms de champions? (Boxe, tennis, natation.)
11. Préférez-vous la nage en eau douce ou en eau salée? Donnez les raisons de votre choix. Si vous ne savez pas nager, expliquez pourquoi vous n'avez jamais appris à nager.
12. Quelles sont les qualités d'un bon chauffeur?
13. Avez-vous un permis de conduire? Si oui, avez-vous eu du mal à l'obtenir?
14. Quels sont les avantages et les inconvénients des autos-routes?
15. Avez-vous jamais reçu une contravention pour excès de vitesse?
16. Qu'est-ce qui consomme le plus d'essence, une grande ou une petite voiture?
17. Est-ce qu'il y a un poste d'essence près de l'université?
18. A quelle vitesse maximum peut-on conduire dans la ville que vous habitez?

E. Sujets de compositions écrites ou orales

1. Les sports et moi: Vous êtes ou vous n'êtes pas sportif (sportive). Les sports que vous aimez; ceux que vous détestez. Le rôle que jouent les sports dans votre vie.
2. Les vacances idéales.

Neuvième leçon

Projets d'avenir

Ils étaient six au jardin du Luxembourg, quatre étudiants, deux étudiantes, assis en cercle sur des chaises. On plaisantait les profs, on poussait de grands éclats de rire. Tout à coup, Michel devint sérieux.

MICHEL.—Dire que, dans quelques années, je serai un de ces profs dont nous nous moquons. [5

CHRISTIAN.—Je te vois dans une petite ville du centre de la France. Tu corriges des devoirs en pestant contre la paresse des élèves et en attendant avec impatience le moment d'aller faire ta partie de billard au café du Commerce.

MICHEL.—Ta vision de l'avenir manque d'exactitude. Tu [10 oublies qu'il y a des lycées français un peu partout dans le monde. J'espère débuter en Grèce ou en Afghanistan. Et puis, chacun sait que le professorat mène à tout, à condition d'en sortir.

JACQUELINE, riant.—Michel sera le genre de professeur qui est en même temps romancier, dramaturge, directeur de cinéma, journa- [15 liste, politicien, critique littéraire, philosophe.

MICHEL, riant.—Pourquoi pas? Il est temps que le petit père Sartre ait un successeur. Et puis, ma petite Jacqueline, vous pouvez mettre tout ça au féminin puisque vous aussi vous vous destinez au professorat.

JACQUELINE.—J'ai changé d'idée; je vais faire mon droit. [20

CHRISTIAN.—Je vous vois très bien en avocate: la grande robe noire, la toque, le petit rabat blanc. Vous serez mignonne à croquer. Tous les jurys vous donneront raison.

JACQUELINE.—Pas malignes, vos plaisanteries. C'est, au contraire, plus difficile pour nous autres femmes d'arriver à quelque chose. [25

CHRISTIAN.—Pas dans la littérature. Regardez Françoise Sagan.

EMILIE.—Je regarde mais je n'imite pas. Et vous, Christian, qu'est-ce que vous ferez dans l'existence?

CHRISTIAN.—Oh, moi, c'est du tout cuit. Mon père a une usine de boîtes de conserves. Comme un de mes frères est à Polytechnique [30 et que l'autre veut se faire prêtre, c'est à moi que revient l'honneur de diriger l'usine lorsque mon père prendra sa retraite. Je dois d'abord faire un stage comme ouvrier, un autre dans la publicité et ensuite faire le commis-voyageur avant d'entrer dans l'administration.

EMILIE.—Je suis bonne dactylo et je connais la sténo. Vous me [35 prendrez comme secrétaire quand vous serez un grand patron?

CHRISTIAN.—Ma foi, non. Votre petit nez mutin me donnerait des distractions.

EMILIE.—Je plaisantais. Comme je connais bien l'anglais et l'espagnol, je vais essayer d'avoir une position soit aux Nations Unies, soit [40 dans une ambassade.

CHARLES.—Et votre sœur Geneviève qui est si jolie, qu'est-ce qu'elle va faire?

EMILIE.—Elle va entrer comme modéliste chez un grand couturier. Elle a la passion de la mode comme vous, vous avez la passion de [45 la médecine.

CHARLES.—J'ai toujours pensé qu'être payé pour faire du bien aux gens était une combinaison tout à fait satisfaisante.

GEORGES.—On n'est pas toujours payé et on ne fait pas toujours du bien aux gens. [50

CHARLES.—D'accord, mais la médecine fait d'énormes progrès. J'aime être dans un métier où on apprend tous les jours. On n'a pas le temps de s'ennuyer.

JACQUELINE.—Dans quelle branche allez-vous vous spécialiser?

CHARLES.—La chirurgie. [55

JACQUELINE.—Vous n'aurez pas à craindre la concurrence féminine; il n'y a pas de femmes chirurgiens, que je sache.

GEORGES.—Ça viendra. Il y a déjà des dentistes, des chimistes, des ingénieurs et des pilotes d'avion parmi vous.

CHRISTIAN.—A propos de pilote d'essais, vous savez que notre [60 camarade Arthur Turcat vient de battre le record de vitesse en France, plus de deux fois la vitesse du son.

EMILIE.—Nous vivons dans une période fantastique. Et vous, Georges, c'est toujours la physique nucléaire qui vous passionne?

GEORGES.—Plus que jamais. [65

MICHEL.—Je me demande parfois ce que je fais dans notre monde atomique avec mon petit bagage littéraire.

CHRISTIAN.—Aider la pensée à dominer la machine, ce n'est pas si mal.

Un soir doré tombe sur les beaux arbres et les blanches statues [70 du Luxembourg. Les jeunes gens sont silencieux; ils rêvent à l'avenir.

Notes

1. **Le jardin du Luxembourg** est un des plus beaux parcs de Paris. Il est situé sur la rive gauche et fréquenté par les étudiants.
2. **Sartre, Jean-Paul,** philosophe et écrivain français né en 1905. Théoricien de l'existentialisme, il a développé ses thèses dans des pièces, des romans et des essais. Il commença sa carrière comme professeur de philosophie.
3. **L'École polytechnique,** créée en 1794, forme des officiers d'artillerie et des ingénieurs.

A. Questions sur le texte

1. Où se trouvaient les étudiants?
2. Que faisaient-ils?
3. Quelle sera la profession de Michel?
4. Comment Christian imagine-t-il la vie de Michel quand il sera professeur?
5. Où trouve-t-on des lycées français?
6. Où Michel espère-t-il débuter?
7. Pour quelle raison Michel a-t-il choisi le professorat?
8. Quel genre de professeur sera Michel d'après Jacqueline?
9. Qui est Jean-Paul Sartre?
10. Quelle profession Jacqueline a-t-elle choisie?
11. Qu'est-ce qu'il faut étudier pour devenir avocat?
12. En France, que portent les avocats quand ils plaident?
13. Quels sont les projets de Christian?
14. Qu'est-ce qu'il faut savoir pour être secrétaire?
15. Qu'est-ce qu'Emilie propose à Christian?
16. Quelle sorte de position désire-t-elle?
17. Pourquoi Geneviève veut-elle être modéliste?
18. Pourquoi Charles veut-il être médecin?
19. Dans quelle branche de la médecine veut-il se spécialiser?
20. Quelles professions les femmes peuvent-elles exercer maintenant?
21. Quel record Arthur Turcat vient-il de battre?
22. Qu'est-ce qui passionne Georges?
23. Comment Michel appelle-t-il le monde où nous vivons?
24. A quel moment de la journée cette conversation a-t-elle lieu?
25. A quoi rêvent les jeunes gens?

B. Exercice de vocabulaire

Complétez les phrases suivantes avec des mots ou des expressions trouvés dans le texte:

1. Elle ne prend rien au sérieux; elle se ____ de tout.
2. Elle ____ parce qu'elle est obligée de faire son devoir tout de suite.
3. Il y a des lycées français dans toutes les parties du monde; il y en a un peu ____.
4. Un homme qui écrit des romans est un ____; celui qui écrit des pièces de théâtre est un ____; celui qui écrit des articles dans les journaux est un ____; celui qui s'occupe de politique est un ____.
5. Si vous voulez être avocat, il faut d'abord ____.
6. Regardez cette jolie petite blonde; elle est ____ dans sa robe rose.
7. Vos plaisanteries ne sont pas ____; elles sont même complètement stupides.
8. Il a réussi dans la vie; il est arrivé ____.
9. Tout est arrangé à l'avance; c'est du ____.
10. L'endroit où l'on fabrique des automobiles est une ____ d'automobiles.
11. Pour être secrétaire, il faut savoir la ____ et la ____.
12. L'homme à la tête d'une entreprise est appelé le ____.
13. La femme qui dessine des modèles de robes est une ____.
14. On dit: elle adore la mode ou elle a la ____ de la mode.
15. L'homme qui soigne les malades est un ____; celui qui soigne les dents est un ____.
16. Pour essayer ce nouvel avion à réaction, il faut un ____.
17. Pour faire bâtir une maison, il faut s'adresser à un ____.
18. Il ne s'occupe plus des affaires de l'usine car il a pris sa ____.
19. C'est une combinaison qui me plaît; elle est tout à fait ____.
20. Ceux qui s'occupent de chimie sont des ____.

C. Exercice de conversation

Transformez le texte suivant en dialogue. Employez la deuxième personne du singulier:

Auguste demande à Charlotte ce qu'elle compte faire quand elle aura fini ses études.

Charlotte répond qu'elle finira par se marier mais que, d'abord, elle veut voyager.

Auguste lui conseille de suivre des cours à l'école des langues orientales. Cela lui permettra d'avoir une position dans un pays lointain.

Charlotte répond qu'elle n'est pas bonne en langue, qu'elle a eu du mal à apprendre assez d'anglais pour être reçue au bachot, qu'elle ne se voit pas du tout apprenant le japonais.

Auguste lui dit qu'elle pourrait être infirmière, que c'est un métier qu'on peut exercer n'importe où.

Charlotte répond qu'elle a déjà un brevet d'infirmière mais qu'Auguste oublie qu'il faut savoir la langue que parlent les malades et les médecins et que, par conséquent, elle ne peut exercer ce métier qu'en France.

Auguste lui demande si elle a pensé à être hôtesse de l'air.

Charlotte répond qu'elle y a pensé très sérieusement mais qu'elle a peur que ses parents ne soient pas très enthousiastes.

Auguste répond que ce n'est pas une objection sérieuse, que les parents modernes finissent toujours par vous laisser faire ce que vous voulez.

Charlotte dit qu'il a raison, que ses parents à elle sont très compréhensifs, qu'ils seront peut-être inquiets pendant les premiers voyages mais qu'ils s'habitueront vite à la savoir dans les airs, que décidément elle sera hôtesse de l'air.

Auguste lui fait observer que savoir parler une langue étrangère est utile à une hôtesse de l'air.

Charlotte répond que si elle est incapable d'apprendre à bien parler une langue, en revanche elle se débrouille tant bien que mal, plutôt mal que bien, en espagnol et en allemand. Elle demande à Auguste pour quelle profession il se prépare.

Auguste répond qu'il se prépare à être ingénieur des ponts et chaussées.

Charlotte lui demande pourquoi il a choisi ce métier.

Auguste répond qu'il aime la vie au grand air et que c'est un métier où on bâtit pour l'avenir.

D. Questions générales

1. Avez-vous choisi la profession que vous comptez exercer plus tard? Si oui, expliquez les raisons de votre choix. Si non, entre quels métiers hésitez-vous?
2. Quels sont les métiers qui permettent de voyager?
3. Quels sont les métiers qui obligent à rester dans le même endroit?
4. Quelles sont les professions qui exigent de longues études?

5. Quelles sont les professions où il faut continuer à étudier toute sa vie?
6. Quels sont les métiers que l'on peut exercer sans études préalables?
7. Est-il vrai qu'il est plus difficile aux femmes qu'aux hommes de se faire une bonne situation?
8. Quelles qualités une jeune fille doit-elle posséder pour devenir mannequin chez un grand couturier? pour devenir modéliste?
9. Connaissez-vous un métier où on peut s'enrichir rapidement?
10. Citez des professions qui donnent de l'aisance mais ne permettent jamais de s'enrichir.
11. Connaissez-vous une profession qui donne beaucoup de loisir à celui qui l'exerce?
12. Quelles sont, aux États-Unis, les écoles qui préparent les jeunes gens à devenir officers dans l'armée? dans la marine? dans les forces aériennes?
13. Quelles qualités exige le métier d'avocat?
14. Dans notre monde moderne, est-ce que l'homme domine la machine ou est-ce que la machine domine l'homme?

E. Sujets de compositions écrites ou orales

1. Développez la première question dans les «questions générales».
2. Quelle est la profession de votre père? de votre mère? Pourquoi désirez-vous ou suivre la même profession ou en embrasser une autre?

Dixième leçon

La petite ville

—Dis donc, tu ne pourrais pas venir passer une semaine chez moi avant de filer vers l'Italie? Tu me sauverais la vie, attendu que comme petit trou où l'on s'ennuie, on ne fait pas mieux que Saint-Jean.

J'acceptai donc d'aller passer la première semaine des grandes vacances chez mon ami et camarade de classe, Bernard Dufferin. [5

Chose incroyable, à dix-huit ans, je n'avais jamais vu de petite ville en France. Mon père, gérant d'un hôtel à Paris, tenait à ce que je parle plusieurs langues de sorte que j'avais toujours passé mes vacances à l'étranger.

Par un beau jour d'été, je débarquai donc à la gare de Saint- [10 Jean. Bernard m'attendait à la gare.

—Nous allons prendre le taxi, dit-il. Je dis bien le taxi car notre ville possède un taxi, ajouta-t-il du ton railleur qu'il avait adopté une fois pour toutes quand il parlait de sa ville natale.

Le taxi s'arrêta devant une maison dont la façade ne présentait [15 rien de particulier. Bernard m'emmena tout de suite à ma chambre, une chambre meublée à l'ancienne mode et qui donnait sur un immense jardin. Mes narines de Parisien se délectaient de l'air pur qui arrivait par la fenêtre ouverte tandis que Bernard disait:

—Mon grand-père va te demander de visiter la ville avec lui. [20 Je ne vous accompagnerai pas. Je ne pourrai m'empêcher de dire ce que je pense du patelin, ce qui vexerait l'ancêtre.

L'ancêtre me reçut avec un bon sourire:

—Vous avez fait un bon voyage?

—Mais oui. C'est gentil à vous de m'avoir invité. [25

—Nous sommes ravis de connaître le grand copain de Bernard, dit la grand-mère avec le même bon sourire.

—Si vous n'êtes pas fatigué, j'aimerais vous montrer notre ville, dit le grand-père.

—Avec plaisir, dis-je. [30

Et nous voilà partis, l'ancêtre et moi. Il marchait lentement, mais je ne m'ennuyais pas. Nous suivions des rues étroites, bordées de maisons dont certaines dataient du Moyen Age. Le grand-père me racontait leur histoire.

—Nous aimons nos vieilles pierres, disait-il. Tout autour de la [35 ville, vous verrez des maisons très modernes mais nous ne touchons pas au centre.

Nous arrivâmes à une assez grande place. A notre gauche se trouvait un bâtiment auquel trois colonnes et un fronton donnaient une fausse allure de temple grec. [40

—C'est notre Palais de Justice, dit monsieur Dufferin. Il n'est pas très actif. Nous n'avons guère de meurtres à Saint-Jean; les délits sont rares. De l'autre côté de la place, vous apercevez l'Hôtel de Ville, vaguement Renaissance et pas très imposant. C'est là que siègent le maire et les conseillers municipaux. C'est là que mon père est venu [45 déclarer ma naissance, que je suis venu déclarer la naissance de mes enfants et que le père de Bernard est venu déclarer celle de son fils.

Cette phrase m'impressionna et le bâtiment qui m'avait d'abord paru tant soit peu ridicule, prit vie tout à coup.

Nous suivîmes une rue commerçante, puis une ruelle bordée de [50 hauts murs et, enfin, nous nous trouvions devant une grille du plus pur Louis XV.

—Voilà le collège où votre ami Bernard a commencé ses études. C'est un ancien monastère. Vous voyez la cour où, autrefois, les moines se promenaient en disant leurs prières et où maintenant les collé- [55 giens jouent pendant les récréations. J'ai joué là quand j'étais petit avec des camarades qui sont maintenant de vieux messieurs. Nous jouons toujours ensemble mais, maintenant, c'est au bridge, ajouta-t-il avec son bon sourire.

Nous arrivions devant une très belle église romane. Monsieur [60 Dufferin me fit examiner les détails du portique, me raconta une foule d'événements dont l'église avait été témoin. Tout le passé de la ville revivait et donnait au présent une sorte de prestige.

Comme nous suivions une avenue bordée de hauts tilleuls, des chants religieux se firent entendre. C'était un enterrement: des prêtres, [65 des enfants de chœur, le corbillard couvert de fleurs, des femmes portant de longs voiles noirs, des gens qui défilaient deux par deux. Monsieur Dufferin enleva son chapeau.

—Et voilà comme on s'en va à Saint-Jean, dit-il. Les cloches sonnent votre glas. Les amis disent: «Il était bien gentil.» [70

J'admirai la résignation souriante avec laquelle il acceptait l'inévitable.

Je retrouvai Bernard au fond du jardin. Il était assis sur un banc et lisait tout en croquant une pomme.

— Ton grand-père, c'est quelqu'un de très bien, lui dis-je.

— D'accord, répondit-il. [75

— Et ta ville, elle n'est pas si mal que ça.

Bernard eut un drôle de sourire:

— C'est probablement là que je me retirerai quand je serai très vieux.

Et, brandissant ce qui restait de la pomme, il déclama, toujours gouailleur mais avec une pointe d'émotion dans la voix: [80

Objets inanimés, avez-vous donc une âme.
Qui s'attache à notre âme et la force d'aimer.

Notes

1. **Saint-Jean** est une ville imaginaire.
2. «**Objets inanimés . . .** »: cette citation est tirée d'un poème de Lamartine. Lamartine, Alphonse de (1790-1869), poète romantique. Son premier recueil poétique, les *Méditations* (1820), lui assura une immense célébrité. La publication des *Harmonies* (1830) maintint sa réputation littéraire. Dès 1834, il mit son prestige au service des idées libérales. Il joua un rôle important pendant la révolution de 1848.

A. Questions sur le texte

1. Pourquoi Bernard invite-t-il le narrateur à venir passer une semaine à Saint-Jean?
2. Comment se fait-il que le narrateur n'ait jamais visité une petite ville française?
3. Que faisait le père du narrateur?
4. Décrivez l'arrivée du narrateur à Saint-Jean.
5. Que prennent les jeunes gens pour aller à la maison de Bernard?
6. Comment était la chambre réservée au narrateur?
7. Pourquoi Bernard refuse-t-il d'accompagner son grand-père et le narrateur dans leur promenade en ville?
8. Comment était le centre de la ville?
9. Qu'est-ce qu'on trouvait tout autour de la ville?
10. Décrivez le Palais de Justice.
11. Décrivez l'Hôtel de Ville.
12. Comment appelez-vous les hommes chargés d'administrer la ville?
13. Pourquoi le narrateur est-il impressionné par l'Hôtel de Ville?

14. Décrivez le collège de Saint-Jean.
15. A quoi le grand-père joue-t-il avec ses vieux camarades?
16. Comment le grand-père a-t-il intéressé le narrateur à l'église?
17. Décrivez l'enterrement.
18. Quelles réflexions la vue de l'enterrement inspire-t-elle au grand-père?
19. Que faisait Bernard quand le narrateur l'a retrouvé?
20. Comment le narrateur trouve-t-il le grand-père?
21. Comment le narrateur trouve-t-il la ville?
22. Que fera Bernard quand il sera très vieux?
23. Quels vers déclame-t-il et comment les déclame-t-il?

B. Exercice de vocabulaire

Complétez les phrases suivantes:

1. C'est une toute petite ville, un vrai ____.
2. Le ____ dirige tout dans un hôtel.
3. Je ne peux pas voter ____ que je n'ai que dix-sept ans.
4. Vous lui feriez de la peine si vous n'assistiez pas à la soirée; elle ____ à ce que vous y soyez.
5. Il est fatigué car il ____ toute la journée à travailler.
6. Deux synonymes de moqueur sont: ____ et ____.
7. La façade de la maison était exactement comme celle des autres maisons; elle ne présentait ____.
8. Mais oui, j'irai avec vous; cela m'amuse de vous ____.
9. J'aurais dû me taire mais je n'ai pas pu ____ de dire ce que je savais.
10. Vous lui avez fait des remarques désobligeantes et, naturellement, il est ____.
11. Nous en sommes très contents; nous en sommes ____.
12. C'est mon meilleur ami, mon grand ____.
13. Je vous assure qu'il ne marchait pas vite; il marchait même très ____.
14. Ces rues ne sont pas larges; elles sont ____.
15. On rend la justice au ____.
16. Le maire et les conseillers municipaux siègent à ____.
17. Il n'y a pas un seul magasin dans cette rue; ce n'est pas une rue ____.
18. Au lieu de dire: c'est plutôt ridicule, vous pouvez dire: c'est ____ ridicule.

19. Une toute petite rue est une ____.
20. Il aime beaucoup les cartes; il joue au ____ tous les soirs.
21. Il est très gentil, très intelligent; c'est vraiment quelqu'un de ____.
22. Des moines habitaient autrefois dans cette maison; c'est un ancien ____.

C. Exercice de conversation

Demandez à un (ou une) camarade:

1. où il (elle) habite.
2. combien il y a d'habitants dans la ville où il (elle) habite.
3. dans quel pays sa ville est située.
4. combien de temps il (elle) a demeuré dans cette ville.
5. si c'est une ville neuve ou ancienne.
6. quand la ville a été fondée.
7. si les rues sont bordées d'arbres.
8. s'il y a une ou plusieurs rues commerçantes.
9. s'il y a des magasins où on peut s'habiller à bon marché.
10. s'il y a beaucoup d'animation dans les rues.
11. où se célèbrent les mariages.
12. s'il y a un terrain de golf près de la ville.
13. s'il y a un endroit où les jeunes gens vont danser.
14. si les habitants rivalisent entre eux à qui aura la plus belle maison.
15. si on donne beaucoup de fêtes dans la ville.
16. combien de cinémas il y a dans la ville.
17. où se trouve le Palais de Justice.
18. où se trouve l'Hôtel de Ville.
19. où se trouvent les hôpitaux.
20. si la ville a un journal.
21. s'il y a des gratte-ciel dans la ville.
22. ce que font les habitants pour se distraire.

D. Questions générales

1. Quelle est la ville la plus pittoresque que vous ayez jamais vue?
2. Comparez les distractions offertes par une petite ville à celles offertes par une grande ville.
3. Pourquoi beaucoup de villes sont-elles bâties près d'un fleuve ou d'une rivière?
4. Quelle région des États-Unis possède les plus jolies petites villes?
5. Comment une ville est-elle administrée?

6. Pouvez-vous citer une ville des États-Unis qui s'est développée rapidement?
7. Quelles sont les conditions requises pour qu'une ville se développe rapidement?
8. Quelle est la petite ville des États-Unis qui présente le plus d'intérêt au point de vue historique?
9. Comparez la ville de Saint-Jean à une petite ville américaine que vous connaissez.

E. Sujet de composition écrite ou orale

Un dialogue: John (ou Mary) désire faire ses études dans l'université d'une petite ville. Robert (ou Jane) désire faire ses études dans une université de grande ville.

Onzième leçon

La maison vide

Tout avait mal marché au lycée ce samedi-là: disputes avec les copains, une mauvaise note en géographie. Je rentre à la maison et voilà ma sœur Maryse qui m'annonce avec une malice non dissimulée que Rolande, mon flirt du moment, était sortie avec un autre type. C'en était trop. Je déclarai à la famille assemblée pour le goûter [5 que j'allais passer la nuit et la journée du dimanche à notre maison de campagne. Là-dessus, voilà ma mère qui m'annonce que je vais attraper une bronchite dans la maison non chauffée, faire flamber ladite maison en laissant mes cigarettes allumées un peu partout et, en général, causer une série de catastrophes dont la famille se remettrait [10 difficilement. Je protestai que j'étais un garçon rangé, soigneux, ce qui provoqua un «Et comment!» moqueur de ma sœur Pauline. Mon père, prévoyant une dispute, déclara:

— Qu'il parte; ça lui fera du bien d'être un peu seul.

Et c'est ainsi que vers huit heures, par une belle soirée de [15 printemps, j'arrêtais ma moto devant la grille de LA ROSERAIE, notre maison de campagne à quarante kilomètres de Bordeaux.

Tout au bout de l'allée qui traversait le parc, l'immense vieille maison se dressait au milieu de la pelouse, accueillante à mon cœur ulcéré par le manque de compréhension de l'humanité en [20 général et de ma famille en particulier.

— Seul, enfin seul, me disais-je en entrant dans le vestibule.

Je montai tout de suite dans ma chambre. Il m'arrivait souvent dans notre appartement de Bordeaux, trop petit pour notre nombreuse famille, de rêver à cette chambre que j'occupais seul en été. Là, pas [25 de jeunes frères qu'il faut aider à faire leurs devoirs. J'étais tellement heureux de ma délicieuse solitude que je ne sentais pas le froid que ma mère m'avait prédit, ou peut-être était-ce à cause de deux sweaters de laine qu'elle m'avait fait endosser.

Je me répétais que je jouissais de ma délicieuse solitude mais [30 j'avais peine à donner à ma lecture de la méthode de Descartes toute l'attention qu'elle méritait. Le grand silence avait quelque chose de désagréablement impressionnant. Était-ce les jacasseries de mes sœurs dans la chambre voisine qui me manquaient? Je me dis que j'étais idiot et je m'endormis. [35

Ça sentait le printemps à plein nez le lendemain; fraîcheur, soleil joyeux et tous les arbres avec leurs bourgeons qui ont l'air de dire: «Enfin, on va vivre.» J'avalai un café que j'avais fait si épais qu'on le mangeait plutôt qu'on ne le buvait et allai m'installer au soleil, sur mon banc favori, dans le parc en compagnie de Descartes et de sa [40 méthode.

Lire en plein air a toujours été un de mes grands plaisirs. Accompagnée du chant des oiseaux, des senteurs d'herbe, la lecture a une saveur particulière. Ce matin-là, il y avait quelque chose qui ne tournait pas rond. Pourtant, c'était bien agréable de ne pas entendre [45 les hurlements de mes frères, amis et cousins qui avaient la manie de venir jouer précisément à l'endroit où je me trouvais. Je terminai mon travail tant bien que mal. Après quoi, je constatai avec dépit que je m'ennuyais. Il n'était que dix heures du matin mais je décidai de déjeuner, histoire de me distraire. [50

Ma mère et mes sœurs avaient bien fait les choses: poulet froid, fruits, fromage, œufs durs, cornichons. J'allais pouvoir satisfaire mon amour immodéré des cornichons sans entendre ma sœur Pauline s'écrier: «Un gros cornichon qui en mange un petit», ou autres plaisanteries d'un goût détestable. Je m'installai à la grande table en compagnie [55 de Descartes que je voulais relire et de mes trésors. Mes trésors manquaient de saveur et Descartes de clarté. La cuisine que je n'avais jamais vue qu'animée par la présence de ma mère, de mes sœurs, me paraissait vide, vide. Je finis mon repas en vitesse.

Le grenier m'avait toujours fasciné. Je ne me lassais jamais de [60 fouiller dans les secrétaires où des lettres écrites par mes ancêtres étaient conservées, de contempler des aquarelles laissées par une grand-tante, artiste à ses heures. Mes sœurs se déguisaient en dames du temps jadis avec les vêtements trouvés dans de vieilles malles.

Je cherchais en vain à retrouver cette magie du passé qui m'avait [65 tant séduit. Une morne tristesse m'envahissait devant ces vieilles choses qui n'évoquaient plus que la mort.

Je descendis au premier étage. Ma chambre avait perdu son charme. Au rez-de-chaussée, la grande table de la salle à manger, les fauteuils du salon avaient un air d'attente. Comme j'avais prévenu la [70 famille que je ne rentrerais que pour dîner, je me forçais à rester à

LA ROSERAIE, mais jamais journée ne me parut plus longue. Les heures, les minutes se trainaient comme des limaces, des limaces qui ne seraient pas pressées d'arriver où elles voulaient aller.

Comme j'entrais dans l'appartement, Pauline s'écria: [75

— Rolande a téléphoné.

Comme je ne pouvais pas dissimuler une certaine satisfaction, Maryse chantonna: «Il est amoureux, le pauvre jeune homme.»

Je ne lui fis pas observer qu'elle avait perdu une belle occasion de se taire. J'étais plein d'une mansuétude infinie. [80

Notes

1. **Descartes, René (1596-1650),** est un philosophe et mathématicien français. On lui doit la création de la géométrie analytique et la découverte des principes de l'optique géométrique. Dans le *Discours de la méthode* (1637) il indique comment par intuition et par déduction on peut diriger la raison.
2. **Bordeaux:** port fluvial et maritime, centre industriel, constructions navales, industrie pétrolière, huileries, savonneries.

A. Questions sur le texte

1. Quelle sorte de journée le narrateur avait-il passé au lycée, ce samedi-là?
2. Quelle nouvelle lui annonce sa sœur Maryse à sa rentrée à la maison?
3. Qu'est-ce qu'il décide de faire?
4. Quelles objections sa mère oppose-t-elle à ses projets?
5. Comment répond-il à ses objections?
6. Comment son père finit-il la discussion?
7. A quelle heure est-il arrivé à la maison de campagne?
8. Quel sentiment a-t-il éprouvé en revoyant la vieille maison?
9. A quoi rêvait-il souvent quand il était à Bordeaux?
10. Pourquoi n'avait-il pas froid?
11. Pourquoi ne s'intéressait-il pas à sa lecture?
12. Quel temps faisait-il le lendemain matin?
13. Comment était le café qu'il a bu à son petit déjeuner?
14. Pourquoi aimait-il lire en plein air?
15. Qui est-ce qui troublait sa lecture d'ordinaire?
16. Pourquoi a-t-il déjeuné à dix heures du matin?

17. Qu'est-ce que sa mère et ses sœurs avaient préparé pour son déjeuner?
18. Pourquoi était-il content d'avoir des cornichons?
19. Comment la cuisine lui paraissait-elle?
20. Pourquoi a-t-il fini son repas en vitesse?
21. Qu'est-ce qu'il aimait faire dans le grenier?
22. A quoi ses sœurs s'amusaient-elles dans le grenier?
23. Qu'est-ce que les vieilles choses évoquaient ce jour-là?
24. Comment la journée paraissait-elle au narrateur?
25. Qu'est-ce que sa sœur Pauline lui a annoncé à son retour à la maison?
26. Dans quel état d'esprit se trouvait-il à l'égard de sa famille?

B. Exercice de vocabulaire

Complétez les phrases suivantes:

1. On dort dans une ____; on prend les repas dans la ____; on prépare les repas dans la ____; on met tous les vieux meubles dans le ____.
2. Il y a des jours où tout marche bien; d'autres au contraire, où tout ____.
3. Elle sort toujours avec Michel; c'est son ____.
4. Il aime bien Madeleine mais il n'a aucune intention de se marier avec elle; il n'est pas ____ d'elle.
5. Il a eu un gros chagrin; il s'en ____ difficilement.
6. Mon père sait toujours à l'avance ce qui va arriver; il ____ tout.
7. J'étais seul et je me disais que la ____ finit toujours par être difficile à supporter.
8. Il y a dans toute cette histoire quelque chose qui ne marche pas, quelque chose qui ne ____.
9. Il reste dehors le plus possible car il aime être ____.
10. Quand un petit garçon veut insulter un camarade, il lui dit qu'il est un ____.
11. On dit: il s'est décidé à faire un voyage mais il a décidé ____ faire ce voyage.
12. Je suis blessé, ____ par votre méchanceté.
13. Regardez les branches de cet arbre; elles sont couvertes de ____ qui seront bientôt de petites feuilles vertes.
14. Vos plaisanteries sont de mauvais goût; je dirai même qu'elles sont d'un goût ____.

15. Vous les entendez jacasser? Vous entendez leurs ____?
16. La nourriture n'avait aucun goût; elle manquait de ____.
17. Cette poésie est difficile à comprendre; elle manque de ____.
18. Il finit son repas rapidement; il le finit ____.
19. Ma grand-tante faisait de la peinture de temps en temps; elle était artiste à ____.
20. Elle avait hâte d'arriver; elle était ____.
21. Un synonyme de cacher est ____.

C. Exercice de conversation

Mettez le texte suivant sous forme de dialogue:

Yves dit à Mathieu qu'il vient de passer une fin de semaine dont il se souviendra longtemps.

Mathieu lui demande ce qu'il a fait.

Yves lui répond qu'il est allé dans la villa que ses parents possèdent en Bretagne, au bord de la mer.

Mathieu lui dit qu'il voit très bien ça: maison non chauffée, temps triste et pluvieux, personne à qui causer.

Yves lui répond que c'était bien pire, qu'il y avait eu un orage formidable toute la nuit, que le tonnerre était assourdissant, que les éclairs étaient gigantesques et qu'il avait bien cru que la foudre allait tomber sur la maison.

Mathieu lui demande si la maison n'était pas protégée par un paratonnerre.

Yves lui dit que la maison était bien protégée par un paratonnerre mais que l'orage était si violent qu'on avait l'impression que le pauvre petit paratonnerre ne servait pas à grand-chose.

Mathieu lui demande ce qu'il a fait pendant l'orage.

Yves dit qu'il a d'abord essayé de dormir mais que l'orage le tenait éveillé, qu'il avait essayé de lire mais que l'électricité s'était éteinte.

Mathieu lui demande s'il avait eu peur.

Yves dit que non mais qu'il s'était prodigieusement ennuyé, qu'il avait fini par s'habiller comme s'il allait à la pêche: grosses bottes, imperméable et chapeau de toile cirée et qu'il était sorti.

Mathieu lui demande comment il a pu s'habiller dans l'obscurité.

Yves répond qu'il avait allumé une bougie.

Mathieu observe qu'il n'a pas dû faire une longue promenade.

Yves répond qu'en effet il était difficile de marcher, et que, de plus, de la grêle s'était mise à tomber et qu'il avait dû rentrer précipitamment.

Mathieu lui demande comment il a passé le reste de la nuit.

Yves dit qu'il a fini par s'endormir mais qu'il a passé toute la journée du lendemain à réparer les dégâts causés par l'orage.

D. Questions générales

1. Avec quel membre de votre famille vous entendez-vous le mieux?
2. Quand il y a une dispute dans votre famille, qui gagne le plus souvent?
3. Avez-vous une chambre à vous dans votre maison ou êtes-vous obligé (obligée) de la partager avec un autre membre de la famille?
4. Qu'est-ce qui ou qui est-ce qui vous dérange ordinairement quand vous êtes en train de travailler?
5. Où préférez-vous faire de la lecture? En plein air, dans une bibliothèque ou dans votre chambre?
6. Quels livres avez-vous lus en français?
7. Combien de chambres à coucher y a-t-il dans votre maison ou dans votre appartement?
8. Qu'est-ce que l'on fait dans la salle de séjour chez vous?
9. A quel étage se trouve votre classe de français?
10. Prenez-vous un ascenseur pour venir à votre classe de français?
11. Quel temps fait-il aujourd'hui?
12. Décrivez un orage.
13. Quels sont les dégâts que peut causer un orage?
14. Que faites-vous quand vous êtes surpris par un orage pendant une promenade en auto?
15. En quelle saison les orages sont-ils le plus fréquents?
16. Vous est-il arrivé de vous trouver en mer ou sur un grand lac par un temps d'orage?
17. Où peut-on pêcher de gros poissons?

E. Sujets de compositions écrites ou orales

1. Décrivez une journée où tout marche bien.
2. Décrivez une journée où tout marche mal.

Douzième leçon

C'est la faute de Notre-Dame

Je suis distrait. Ma femme dit avec indulgence: «C'est permis à un artiste d'être distrait.» Je suis entièrement de son avis. Quand je suis en train de peindre un paysage, comment penser à éteindre ma pipe avant de la remettre dans la poche de mon veston? Les petits malheurs que ma distraction m'a attirés ont toujours été pris gaiment et par [5 ma femme et par moi. Mais, cette fois . . .

Un de mes amis avait organisé une exposition de mes toiles dans une galerie parisienne. Naturellement, il fallait que je sois là pour le vernissage. D'ordinaire, ma femme m'accompagne; ou plus exactement, j'accompagne ma femme qui s'occupe de tout, règle tout et je la [10 suis comme un bon petit toutou. Mais, cette fois-ci, ma femme avait un rhume formidable.

—Je ne peux pas assister à ton vernissage les yeux rouges, le nez gonflé et éternuant toutes les deux minutes. Il faut que tu y ailles seul.

J'étais fier de moi tandis que, dans ma chambre d'hôtel, je [15 pensais à mon voyage. Je n'avais pas oublié mon chapeau dans le train. Je n'avais pas perdu mon billet de chemin de fer. Je ne m'étais pas trompé en donnant l'adresse de l'hôtel au chaffeur de taxi. Au bureau de réception de l'hôtel, je n'avais pas trouvé la lettre du gérant qui disait qu'une chambre était retenue pour moi, mais la réception- [20 niste avait dit aimablement que la lettre n'était pas nécessaire: la chambre numéro 3, 22 francs, petit déjeuner compris, était bien retenue au nom de Guy Laroque.

Je consultai la liste de recommandations que ma femme m'avait remise. «Faire repasser complet.» Je tirai mon complet bleu [25 marine de ma valise, sonnai le garçon. Comme je me regardais machinalement dans la glace, je m'aperçus qu'une tache décorait ma cravate. J'avais dû faire ça pendant mon déjeuner au wagon-restaurant. Heureusement que ma femme avait mis deux cravates de rechange dans ma valise.
[30

Le garçon était un vieil ami car c'était toujours lui qui faisait notre chambre lors de nos séjours à l'hôtel. Il me donna donc des nouvelles de sa famille et je lui racontai ce qui m'amenait à Paris. Après quoi, je lui remis mon complet et ma cravate.

—Faites nettoyer ce complet et repasser cette cravate, dis-je. [35

—Bien monsieur, répondit-il.

J'avais deux heures devant moi avant de me mettre en route pour le vernissage. Je décidai d'aller rendre visite à Notre-Dame de Paris. A condition de ne pas lanterner, j'avais largement le temps de faire cette promenade. [40

Je remontai rapidement la rue des Saints-Pères, arrivai aux quais. Là, c'était difficile d'aller vite. Les boîtes des bouquinistes avec leurs vieilles gravures, la Seine avec ses péniches, autant d'occasions de flâner auxquelles je résistai assez mal.

Enfin, la cathédrale. Je découvris, dans le portail, toutes sortes [45 de détails que je n'avais pas remarqués auparavant. Je fis des croquis à n'en plus finir.

Tout à coup, j'éprouvais une envie démesurée, irrésistible de voir Paris du haut des tours. Je me dis que j'en serais quitte pour revenir en taxi à l'hôtel. Je grimpai l'escalier en colimaçon. Paris était tout [50 rose et gris sous un ciel d'un bleu léger. Je fumai une pipe, fis d'autres croquis. C'est seulement lorsque j'arrivai à la dernière page de mon calepin que je pensais à regarder l'heure. Quatre heures, l'heure à laquelle je devais me trouver à mon vernissage. Affolé, je descendis l'escalier quatre à quatre. Je n'avais plus le temps d'aller changer [55 de costume à l'hôtel. Tant pis; j'assisterais au vernissage dans mon vieux tweed.

Mais, comme je m'installais dans un taxi, une odeur familière me monta aux narines; j'avais encore oublié d'éteindre ma pipe. La poche de mon veston était toute roussie. Il valait mieux arriver en [60 retard que de me trouver au milieu de tous ces gens chics avec un veston à la poche trouée. Je donnai au chauffeur l'adresse de mon hôtel ou ce que, dans mon désarroi, je croyais être l'adresse de mon hôtel. Je bondis du taxi, m'aperçus que j'avais dit hôtel des Saints-Pères, rue des Saints-Pères, au lieu d'hôtel du Pas-de-Calais, rue [65 des Saints-Pères. Je parcourus la cinquantaine de mètres qui sépare les deux hôtels en temps record. C'est alors que je me rappelai nettement avoir demandé au garçon un repassage pour ma cravate et un nettoyage pour mon complet. Et, comme on demandait vingt-quatre heures à l'hôtel pour nettoyer un complet . . . [70

J'entrai dans ma chambre, anéanti par cette situation catastrophique et . . . j'aperçus, soigneusement étalés sur le lit, mon complet bien repassé et ma cravate nettoyée. Le garçon, ce miracle d'intelligence, avait compris que j'avais dit le contraire de ce que je voulais dire.

Lorsque j'arrivai enfin à la galerie, je trouvai l'ami qui avait [75 arrangé l'exposition en train de disposer des catalogues sur une petite table. Eberlué, je m'exclamai:

—Personne n'est venu?

—Mais non. Le vernissage ne commence qu'à cinq heures.

Comme dit souvent ma femme: «Il y a une providence pour les [80 distraits.»

Notes

Notre-Dame de Paris: église métropolitaine de Paris, un des plus beaux monuments de l'architecture gothique, construite entre 1163 et 1245.

A. Questions sur le texte

1. Quel est le métier de Guy Laroque?
2. Comment sa femme excuse-t-elle les distractions de son mari?
3. Qu'est-ce que Guy Laroque oublie de faire quand il est en train de peindre un paysage?
4. Qu'est-ce qu'un des amis de Guy a organisé?
5. Qui s'occupe de tout quand Guy fait une exposition?
6. Pourquoi cette fois-là sa femme ne l'a-t-elle pas accompagné?
7. Pourquoi Guy était-il fier de lui quand il est arrivé à l'hôtel?
8. Qu'est-ce qu'il n'a pas trouvé au bureau de réception de l'hôtel?
9. Qu'est-ce que sa femme lui avait recommandé de faire?
10. De quoi s'est-il aperçu quand il s'est regardé dans la glace?
11. Qu'est-ce qu'il aurait dû dire au garçon?
12. Qu'est-ce qu'il lui a dit?
13. Combien de temps avait-il devant lui avant de se rendre au vernissage?
14. Pourquoi était-il difficile d'aller vite sur les quais?
15. Qu'est-ce que Guy a découvert dans le portail de Notre-Dame?
16. Qu'est-ce qu'il a éprouvé tout à coup?
17. Qu'est-ce qu'il a fait quand il s'est trouvé en haut des tours de Notre-Dame?
18. Quelle heure était-il quand il a regardé sa montre?
19. Où croyait-il qu'il aurait dû se trouver à ce moment-là?
20. Qu'est-ce qu'il a découvert après s'être installé dans le taxi?

21. De quoi s'est-il aperçu quand le taxi s'est arrêté?
22. Comment a-t-il parcouru la distance qui sépare les deux hôtels?
23. Qu'est-ce qu'il a trouvé sur son lit?
24. A quelle heure le vernissage commençait-il?
25. Quelle remarque la femme de Guy fait-elle souvent?

B. Exercice de vocabulaire

Complétez les phrases suivantes à l'aide d'expressions ou de mots trouvés dans le texte:

1. Une personne qui fait peu attention à ce qu'elle dit ou à ce qu'elle fait est ____.
2. Le professeur n'est pas sévère; il montre au contraire beaucoup d' ____.
3. Le contraire d'allumer est ____.
4. Il a un gros rhume; il ____ toutes les deux minutes.
5. Les hôtels seront pleins cet été; il est prudent de ____ une chambre dès maintenant.
6. Votre complet est fripé; il faut le faire ____.
7. Votre cravate est tachée; il faut la faire ____.
8. Quand on voyage, on met des vêtements de ____ dans une valise.
9. Le jour où on inaugure une exposition de peinture s'appelle le jour du ____.
10. On trouve de vieilles gravures dans les boîtes des ____ sur les quais de Paris.
11. Il a fait mon portrait en quelques coups de crayon; c'est un simple ____ mais très ressemblant.
12. On peut dire: il faut que je sois là ou il faut que je me ____ là.
13. Quand il apprit cette nouvelle, aussi étrange qu'inattendue, il était ____.
14. Vous trouverez les numéros et les titres des tableaux dans le ____.
15. Si vous mettez une pipe encore allumée dans la poche de votre veston, la poche sera ____.
16. Un peintre expose ses tableaux dans une ____.
17. Les bateaux qui vont sur des fleuves ou des canaux sont des ____.
18. Il descendit l'escalier en courant; il le descendit ____.

C. Exercice de conversation

Vous demandez à un (une) camarade:

1. ce qu'il (elle) fait quand il (elle) doit partir en voyage.

2. s'il lui est arrivé d'oublier quelque chose dans un train.
3. s'il (si elle) connaît un hôtel confortable et pas cher à Paris.
4. combien coûte une chambre avec salle de bain privée dans un hôtel.
5. comment on appelle la personne en charge d'un bureau de réception dans un hôtel.
6. à qui il faut s'adresser pour retenir une chambre dans un hôtel.
7. ce qu'il faut faire quand on a besoin du garçon ou de la femme de chambre.
8. ce qu'il faut dire au garçon quand on veut faire repasser un complet.
9. ce qu'il faut prendre pour monter en haut des tours de Notre-Dame.
10. ce qu'on voit du haut des tours de Notre-Dame.
11. ce qu'on voit sur la Seine à Paris.
12. ce qu'on trouve dans les boîtes des bouquinistes.
13. ce qu'on voit du haut d'un gratte-ciel.
14. s'il (si elle) fait des croquis ou prend des photos quand il (elle) fait un voyage.
15. s'il (si elle) préfère les photos en noir ou en couleurs.
16. s'il est nécessaire d'avoir un appareil coûteux pour prendre de bonnes photos.
17. ce qu'il (elle) préfère photographier: les gens, les paysages, les monuments.
18. où on peut faire développer des photos.
19. s'il (si elle) possède une caméra.
20. s'il (si elle) sait se servir d'un projecteur.

D. Questions générales

1. Dans quelles circonstances aime-t-on se servir d'une caméra?
2. Quelles sortes de photos trouvez-vous dans les journaux, dans les magazines?
3. Quelles possibilités offre le métier de photographe?
4. Que signifie le mot photogénique?
5. Quand la photographie est-elle un simple passe-temps? Quand devient-elle un art?
6. Quels musées aimeriez-vous visiter aux États-Unis et en France?
7. Que préférez-vous: la peinture moderne ou la peinture classique?
8. Quels sont les peintres célèbres que vous connaissez?
9. Donnez le nom d'une peinture célèbre aux États-Unis?
10. Que fait le sculpteur?

11. Donnez le nom d'une statue célèbre aux États-Unis.
12. Zola a dit: «L'art, c'est la vie vue à travers un tempérament.» Expliquez ce que signifie cette remarque.
13. Expliquez ce que c'est qu'une personne distraite.
14. Vous arrive-t-il parfois d'être distrait?
15. Dans quels circonstances est-il dangereux d'être distrait?
16. Qu'est-ce qui arrive quand le professeur interroge un (une) étudiant (étudiante) distrait (distraite)?

E. Sujets de compositions écrites ou orales

1. Racontez une mésaventure causée par une distraction.
2. Décrivez une exposition de peinture ou de sculpture.

Treizième leçon

Un voyage dans la lune

Le médecin avait dit:

— Rien de grave. Une simple grippe. Un peu de fièvre. Mais, il faut rester au lit, mon jeune ami.

Jean-Pierre ne demandait pas mieux que de rester au lit. Il avait mal à la tête, mal à la gorge; il se sentait faible comme un petit [5 poulet. C'était enrageant d'être malade. Il aurait un travail fou quand il serait remis: physique nucléaire, le mouvement surréaliste . . . Il se sentait lourd, lourd . . . Probablement un effet de la pilule que le docteur lui avait fait avaler.

Qu'est-ce qu'il avait donc vu au cinéma, dans les actualités? [10 Ah oui; des gens qui quittaient le sol et voletaient dans une chambre, doucement, gentiment. On aurait dit qu'ils nageaient. La science moderne défie les lois de la pesanteur . . . Tiens, lui aussi, il volait dans un air tiède. C'était très agréable et très pratique pour traverser les rues: un grand bond par-dessus le trafic . . . [15

C'est drôle; il se trouve tout à coup dans une cage de verre.

«Moi qui ai toujours eu envie de voyager en hélicoptère. Quelle chance!» se dit-il.

Et pas de bruit de machine; rien qu'un petit tic tac, tic tac.

On passe au-dessus de hautes montagnes. On aperçoit des [20 torrents avec des installations hydrauliques. «La houille blanche permet maintenant d'amener l'électricité dans les plus humbles villages de montagne.» Qui prononce ces paroles? C'est le professeur de physique du lycée qui se trouve dans l'hélicoptère avec Jean-Pierre. Tiens, le médecin est là, lui aussi. Il a de beaux cheveux gris; le professeur [25 est chauve. Pourquoi les professeurs perdent-ils souvent leurs cheveux, les médecins rarement?

«Ceci, messieurs, fera l'objet de ma prochaine conférence», dit le professeur. «En attendant, il faut reconnaître que le grand événement scientifique de l'année est l'exploration de l'espace cosmique . . . » [30

Plus de professeur, plus de médecin. Jean-Pierre ne voit plus que des nuages. Il entend une voix:

«How do you do? Shall we have breakfast?»

Il est dans un satellite, un satellite américain. Ça, c'est de la chance. Il va pouvoir parler anglais. Mais où diable est-il passé, cet Améri- [35 cain? Ce n'est pas l'Américain qui a disparu, c'est Jean-Pierre qui se trouve maintenant dans une fusée. C'est amusant; on monte tout droit comme dans un avion à réaction. C'est très joli toutes ces étoiles.

Quel drôle de paysage! Comme une mer en tempête qui se serait solidifiée. Mais c'est la lune! Jean-Pierre se trouve sur la lune assis [40 sur un rocher. Un homme surgit devant lui. Il a une tête énorme qui luit comme la lune par un beau soir d'été.

«Nous avons profité des découvertes biologiques de Jean Rostand. Nous avons créé une nouvelle espèce d'hommes: les hommes à gros cerveau. Nous sommes tous très intelligents. Vous voyez, dans ce [45 creux de rocher, cette matière grise qui ressemble à du sel de cuisine, c'est du radium. Nous en fabriquons des tonnes.»

«Formidable», dit Jean-Pierre. «Mais, dites-moi, est-ce que les filles ont aussi une grosse tête et pas de cheveux?»

Pas de réponse. L'homme s'est changé en une fumée grise. [50 Jean-Pierre est agacé; impossible d'avoir une conversation suivie avec qui que ce soit. Autant retourner sur la terre. La fusée descend, descend . . .

Tiens, l'estuaire de la Seine. Le pont auto-route de Tancarville est terminé. Il est vraiment impressionnant. [55

Bon. Voilà que les énormes pylônes se tordent, s'affaissent. Le pont tout entier disparaît dans de la fumée grise. Pas seulement le pont mais l'Europe, l'Asie et l'Amérique. Et une voix qui vient on ne sait d'où: «Ça leur apprendra à se servir de la bombe atomique.»

«Ça n'apprendra rien à personne puisque tout le monde est [60 mort», se dit Jean-Pierre.

Tic, tac, tic, tac . . . .

Tiens, la fusée a une fenêtre avec des rideaux blancs comme ceux de sa chambre. Et voilà son bureau avec ses livres de classe. Il est couché dans un lit; son lit. La pendulette sur la table à côté de son lit fait [65 tic, tac, tic, tac.

Jean-Pierre se sent beaucoup mieux. Les épisodes baroques de son rêve lui reviennent à l'esprit. Il sourit; il se dit:

«Décidément, la grippe, ça fait de moi un écrivain surréaliste.»

NOTES

1. **Le surréalisme** est un effort pour dépasser le réel, en puisant dans l'imaginaire et l'irrationnel. En littérature, le mouvement surréaliste avait pour but d'exprimer la sensation ou la pensée pure en excluant toute logique.
2. **Rostand, Jean (1894-   )**, fils d'Edmond Rostand, auteur de *Cyrano de Bergerac*. Jean Rostand est un biologiste qui s'intéresse surtout à la génétique. Il est membre de l'Académie française.
3. **Tancarville:** bourg sur l'estuaire de la Seine.

A. QUESTIONS SUR LE TEXTE

1. Où se trouvait Jean-Pierre?
2. Quelle maladie avait-il?
3. Où avait-il mal?
4. Pourquoi enrageait-il d'être malade?
5. Qu'est-ce qu'il avait vu dans les actualités au cinéma?
6. Qu'est-ce qui défie les lois de la pesanteur?
7. Qu'est-ce qui est arrivé à Jean-Pierre tandis qu'il pensait à ce qu'il avait vu au cinéma?
8. Comment traverse-t-il la rue?
9. Ensuite, comment voyage-t-il?
10. Qu'est-ce qu'il aperçoit au-dessous de lui?
11. Que dit le professeur de physique?
12. Quelles personnes se trouvent dans l'hélicoptère avec Jean-Pierre?
13. Qu'est-ce que Jean-Pierre se demande?
14. Quel est le grand événement scientifique de l'année?
15. Où se trouve Jean-Pierre maintenant?
16. Pourquoi est-il content d'être dans un satellite américain?
17. Comment la fusée monte-t-elle?
18. Comment la lune apparaît-elle à Jean-Pierre?
19. De quoi l'habitant de la lune se vante-t-il?
20. Qu'est-ce qui se trouve dans un creux de rocher?
21. Quelle question Jean-Pierre pose-t-il à l'habitant de la lune?
22. Qu'est-ce que Jean-Pierre aperçoit quand il descend sur la terre?
23. Qu'est-ce qui arrive au globe terrestre?
24. Où Jean-Pierre se retrouve-t-il?
25. Quelle réflexion se fait Jean-Pierre?

B. Exercice de vocabulaire

Complétez les phrases suivantes à l'aide de mots ou d'expressions trouvés dans le texte:

1. Il a une légère grippe; ce n'est rien ____.
2. Quand on a la grippe, on a généralement un peu de ____.
3. Il se sentait très, très faible, faible comme ____.
4. Les études de physique qui se rapportent au noyau de l'atome s'appelle la physique ____.
5. Le ____ est un effort pour dépasser le réel en puisant dans l'imaginaire et l'irrationnel.
6. Les malades doivent souvent avaler des ____.
7. Dans un programme de cinéma, en plus du film et de la bande animée, vous avez souvent les ____.
8. L'action attractive qu'exerce la terre sur les corps matériels s'appelle la ____.
9. Un synonyme de saut est ____.
10. Pour utiliser la force de ce torrent, des ingénieurs ont bâti une ____.
11. La force motrice des chutes d'eau s'appelle la ____.
12. Un homme qui n'a plus de cheveux est ____.
13. Vous avez remarqué que le mot français «lecture» signifie *reading* et que le mot anglais *lecture* se traduit en français par ____.
14. Tous les gâteaux ont été vendus; il n'y en a ____.
15. Un avion ordinaire est moins rapide qu'un avion à ____.
16. Quand il s'agit de quelque chose, vous employez l'expression quoi que ce soit; quand il s'agit de quelqu'un, vous employez l'expression ____.
16. Le pont est soutenu par des ____.
17. Quand on est trop fatigué pour faire du bon travail, ____ se reposer.
18. Impossible de savoir d'où venait le bruit; c'était effrayant ce bruit qui venait ____.
19. Vous avez des idées bizarres, des idées ____.

C. Exercice de conversation

Mettez le texte suivant sous forme de dialogue:

Mademoiselle Veuillot entre dans le cabinet du médecin. Elle jouit d'une santé parfaite mais elle est hypocondre. Elle salue le médecin d'un «Bonjour, docteur» prononcé d'une voix faible.

Le médecin la prie de s'asseoir.

Elle dit qu'elle est épuisée car elle arrive de chez le dentiste qui lui a plombé une dent.

Le médecin lui demande si le dentiste lui a fait mal.

Elle dit que non, mais que ça ne l'empêche pas d'être épuisée.

Le médecin lui demande ce qui l'amène chez lui.

Elle se plaint d'avoir une douleur à l'épaule gauche et elle a entendu dire que c'était un des symptômes des maladies de cœur.

Le médecin lui fait observer qu'il l'a auscultée il y a une semaine, qu'à ce moment elle avait un cœur en parfait état et qu'il doutait qu'une maladie se soit développée en si peu de temps.

Elle dit qu'elle a souvent des nausées et qu'elle a lu un article qui disait que ceci indiquait qu'on avait des ulcères à l'estomac.

Le médecin lui dit qu'on s'imagine toujours avoir les maladies décrites dans les articles de médecine; que, au contraire, elle a un estomac d'autruche.

Elle lui demande si, tout de même, elle ne ferait pas bien de se faire radiographier.

Le médecin lui dit qu'elle peut se faire radiographier si cela l'amuse mais qu'il est sûr que c'est parfaitement inutile.

Elle demande au médecin un remède contre les lourdeurs de tête après les repas.

Le médecin lui dit de manger moins et de regarder la télévision au lieu de lire des articles de médecine.

D. Questions générales

1. Est-ce que la Seine se jette dans la Manche, dans l'Océan Atlantique ou dans la Mer Méditerranée?
2. Citez les noms de deux grandes villes bâties sur la Seine.
3. Qu'est-ce que l'on peut voir dans les programmes d'actualités au cinéma ou à la télévision?
4. Qu'est-ce qu'on étudie dans les cours de botanique, de zoologie, de biologie, d'archéologie?
5. Quel cours ou quels cours de science suivez-vous cette année? Si vous n'en suivez aucun, expliquez pourquoi?
6. Combien d'heures par semaine les étudiants qui font de la chimie passent-ils dans le laboratoire?
7. A quoi sert le radium?
8. A quoi sert la houille blanche?

9. Où trouve-t-on des puits de pétrole aux États-Unis?
10. Quelle est, à votre avis, la découverte scientifique la plus importante de l'année?
11. Mentionnez quelques inventions qui ont changé la vie de l'homme.
12. Est-il vrai que la science tienne une place de plus en plus grande dans notre vie?
13. Citez des problèmes que la science ne pourra jamais résoudre.

E. Sujets de compositions écrites ou orales

1. Les sciences doivent-elles être obligatoires dans les programmes d'études à l'université?
2. Racontez un rêve, soit un beau rêve, soit un cauchemar.

Quatorzième leçon

JULIEN MET À JOUR SA CORRESPONDANCE

«Il faut tout de même que je me mette à ma correspondance», se dit Julien, contemplant, sans enthousiasme, la pile de lettres devant lui. Il prend la première enveloppe, relit la lettre de Christiane. Ah, celle-là! Il a fait sa connaissance au tennis, à Biarritz. Pas le coup de foudre exactement mais enfin beaucoup, beaucoup d'intérêt de part et [5 d'autre. Ballades sur son scooter, en bateau à voile, nage, danses. Elle retourne à l'université de Bordeaux; lui revient finir sa dernière année à l'école vétérinaire de Toulouse. Ils s'écrivent longuement et sur un ton plutôt flirt. Et puis: «Mon cher Julien, je vais me marier . . . » Avec un lieutenant . . . Le prestige de l'uniforme, sans aucun [10 doute. Il va envoyer à Christiane une lettre de reproches sanglants. Il décide qu'il vaut mieux laisser la lettre mûrir dans sa tête tandis qu'il répond aux autres lettres.

Le journal Les Nouvelles Littéraires lui annonce que son abonnement va expirer le mois prochain. Quelle drôle d'expression: un abonne- [15 ment qui expire, bougonne Julien. On va l'enterrer, mon abonnement de l'an dernier?

Il prend un papier carbone car il a l'habitude de garder un double pour les lettres d'affaires. Il tape à la machine l'adresse du journal, sa propre adresse, la date, puis: [20

«Messieurs,

Veuillez trouver ci-joint un mandat-carte de 27 francs, montant du renouvellement de mon abonnement aux Nouvelles Littéraires.

Veuillez agréer, monsieur, l'expression de mes sentiments les meilleurs.» [25

Julien signe; il se dit: «Mes meilleurs sentiments à un monsieur que je ne connais pas! Ce que ça peut être idiot, une lettre d'affaires. Moi aussi, je suis idiot. Un mandat-carte qui me forcerait d'aller à la poste quand il est si facile d'envoyer un chèque.»

Il corrige sa lettre, y joint un chèque, la met dans une enveloppe [30
sur laquelle il colle un timbre.

Il dira à Christiane qu'elle a une noisette en place de cœur. Non, ce n'est pas assez méchant.

Une lettre de son ami David qui fait son service à Nancy. David vient de perdre sa mère. Rien de plus difficile à écrire qu'une [35
lettre de condoléances et tellement inutile. Ce n'est pas un billet plus ou moins bien tourné qui consolera David de sa perte. Julien écrit:

«Mon cher David,

C'est avec un profond chagrin que j'ai appris la triste nouvelle. Je suis de tout cœur avec toi dans ces circonstances douloureuses.» [40

Impossible de penser à autre chose. Julien ajoute: «bien amicalement» et signe.

Une invitation à dîner chez les Mercœur. Ah, non; ils sont ennuyeux comme la pluie, ces gens-là. Parce qu'ils sont des amis de ses parents, ils s'imaginent qu'il est de leur devoir d'inviter ce pauvre jeune [45
homme, tout seul à Toulouse. Il n'a que trop de camarades avec qui perdre son temps, le pauvre jeune homme. Il écrit à la main; c'est plus poli.

«Chers amis,

C'est avec beaucoup de regrets que je me vois obligé de décliner [50
votre aimable invitation. J'ai beaucoup de travail en ce moment . . . »

Il se rappelle tout à coup que les Mercœur ont une nièce charmante et que cette nièce doit se trouver chez eux en ce moment. Cela change les choses. Julien déchire sa lettre, écrit rapidement:

«Chers amis, [55

C'est avec beaucoup de plaisir que j'accepte de dîner chez vous lundi en huit. A bientôt donc et merci infiniment de votre aimable invitation.»

Et maintenant, il s'agit d'écrire une lettre fulgurante à Christiane. Il commence: [60

«Vous voulez que nous restions amis. Ma petite Christiane, il n'y avait pas dans notre flirt de quoi faire une amitié. Vous vous moquiez de moi comme je me moquais de vous . . . »

Elle est tellement vaniteuse qu'elle croira qu'il a le cœur brisé. Mieux vaut écrire froidement, calmement: [65

«Je suis très heureux d'apprendre la nouvelle de votre prochain mariage . . . »

Elle s'imaginera qu'il fait le généreux mais qu'il a été touché. Un télegramme plutôt. Non, il aurait l'air pressé de lui répondre.

Il pense à la nièce des Mercœur. Elle est blonde, elle a l'air [70 doux et intelligent . . . Au diable, Christiane et son mariage. Il griffonne rapidement sur une carte postale: «Meilleurs vœux de bonheur.» Voilà. Elle sera furieuse de cette concision ironique. Elle ne l'aura pas volé.

Comment donc s'appelle-t-elle, la nièce des Mercœur? Ah, oui. Anne. Quel joli nom! [75

Note

Pascal, Blaise (1623-1662), mathématicien, physicien, philosophe, écrivain. A seize ans, il écrivit un *Traité des sections conique;* à dix-huit ans, il inventa une machine à calculer. On lui doit les lois de la pression atmosphérique, de l'équilibre des liquides, le triangle arithmétique.

Il écrivit les *Lettres provinciales* où il attaquait la morale des Jésuites. Il mourut avant d'avoir achevé une *Apologie de la religion chrétienne* dont les fragments ont été réunis et publiés sous le titre de *Pensées.*

A. Questions sur le texte

1. Qu'est-ce que Julien est en train de faire?
2. Comment savons-nous qu'il n'aime pas écrire des lettres?
3. De qui est la première lettre qu'il relit?
4. Qui est Christiane?
5. Où Julien et Christiane sont-ils retournés après les vacances?
6. Quelles sortes de lettres Julien et Christiane ont-ils échangées?
7. Quelle nouvelle Christiane a-t-elle annoncée dans sa dernière lettre?
8. Comment Julien va-t-il lui répondre?
9. Qu'est-ce que le journal Les Nouvelles Littéraires annonce à Julien?
10. Pourquoi tape-t-il sa lettre à la machine?
11. Pourquoi trouve-t-il que la dernière phrase de sa lettre est idiote?
12. Pourquoi corrige-t-il sa lettre?
13. Pourquoi décide-t-il d'attendre avant d'écrire à Christiane?
14. Que fait David à Nancy?
15. Pourquoi Julien doit-il écrire à son ami?
16. Qu'est-ce que Julien pense des lettres de condoléances?
17. Écrit-il une lettre ou un court billet?

18. Qu'est-ce que Julien pense des Mercœur?
19. Pourquoi écrit-il sa lettre aux Mercœur à la main?
20. Qu'est-ce qu'il écrit d'abord?
21. Pourquoi déchire-t-il sa lettre?
22. Pourquoi n'envoie-t-il pas une lettre fulgurante à Christiane?
23. Pourquoi n'envoie-t-il pas un télégramme?
24. Qu'est-ce qu'il envoie finalement?
25. A qui pense-t-il maintenant?

B. Exercice de vocabulaire

Complétez les phrases suivantes par des mots ou des expressions trouvés dans le texte:

1. Vous ne pouvez pas laisser toutes ces lettres sans réponses; il faut ____ votre correspondance.
2. Lorsque vous avez fini d'écrire votre lettre, vous la mettez dans une ____ sur laquelle vous écrivez ____ et vous collez un ____.
3. Eh, oui! Il l'a aperçue; elle l'a regardé; c'était le ____. Ils se sont mariés deux semaines plus tard.
4. Quand vous écrivez une lettre importante, vous la ____ et vous gardez un ____.
5. Vous pouvez envoyer de l'argent ou bien par ____ ou bien par ____.
6. Quand vous voulez recevoir un magazine régulièrement, vous prenez un ____.
7. Quand un ami a perdu un des siens, vous lui envoyez une ____.
8. C'est une lettre très bien écrite, très bien ____.
9. Vous terminez une lettre à un ami par «bien cordialement» ou ____.
10. Cette lettre est idiote; il faut la ____ et la recommencer.
11. Le pauvre garçon est très malheureux de ce que Jeanne ne l'aime plus; il a le ____.
12. Si vous désirez que vos amis viennent vous chercher à la gare, envoyez-leur un ____.
13. C'est la fille de ma sœur; par conséquent, c'est ma ____.
14. Elle m'ennuie; qu'elle aille ____.
15. C'était une réponse vexante, mais il ne l'avait ____ car il s'était moqué de moi.
16. A un ami qui se marie, vous envoyez vos ____.
17. Elle ne dit que des sottises; ce qu'elle ____ idiote.

18. Je dois le faire; c'est mon _____ de le faire.
19. Quand on lit un livre pour la seconde fois, on le _____.

C. Exercice de conversation

Vous demandez à un (une) camarade:

1. combien il (elle) écrit de lettres par semaine.
2. combien il (elle) reçoit de lettres par semaine.
3. s'il (si elle) écrit ses lettres à la main ou à la machine.
4. à qui il (elle) envoie des cartes postales quand il (elle) est en voyage.
5. à quelle occasion il (elle) a reçu une lettre contenant un chèque.
6. à quelle occasion elle a envoyé une lettre contenant un chèque.
7. ce qui est le plus pratique: les chèques ou les mandats.
8. s'il (si elle) fait collection de timbres.
9. comment on commence une lettre d'affaires, une lettre à une personne qu'on ne connaît pas très bien, une lettre à un ami.
10. comment on termine une lettre à un ami, une lettre d'affaires.
11. s'il (si elle) se sert d'une machine à écrire pour faire ses devoirs.
12. s'il (si elle) tape lentement ou rapidement.
13. s'il (si elle) fait beaucoup de fautes de frappe.
14. où se trouve la boîte aux lettres la plus proche de chez lui (elle).
15. s'il (si elle) attend l'arrivée du courrier avec impatience.
16. si le facteur apporte le courrier une ou deux fois par jour.
17. ce qu'on apprend dans une école vétérinaire.
18. si le service militaire est obligatoire aux États-Unis.
19. où on achète des timbres.
20. combien coûte un timbre pour envoyer une lettre par avion en France.

D. Questions générales

1. Dites tout ce que vous faites quand vous envoyez une lettre.
2. Quel est le genre de lettres que vous aimez écrire? le genre que vous détestez écrire?
3. A quelles personnes écrivez-vous de longues lettres?
4. Dans quelles circonstances envoyez-vous un court billet?
5. Quand envoyez-vous des cartes postales?
6. Dans quelles circonstances envoyez-vous un télégramme?
7. Pascal s'excusait à un ami de lui envoyer une très longue lettre

en disant qu'il n'avait pas eu le temps de la faire plus courte. Que voulait-il dire par cette remarque?

8. Quand est-ce qu'une conversation vous ennuie?
9. Quand trouvez-vous une personne ennuyeuse?
10. Quelle sorte de conversation vous intéresse?
11. Quand trouvez-vous une personne intéressante?
12. Quels sont les endroits où il est défendu de parler à l'université?
13. Quand est-ce que vous devez parler dans la classe de français?
14. Combien de temps dure le service militaire aux États-Unis?

E. Sujets de compositions écrites ou orales

1. Vous écrivez à un ami pour lui raconter votre vie à l'université.
2. Vous écrivez à vos parents pour leur demander de vous envoyer un chèque.

Quinzième leçon

LOISIRS

La terrasse de la brasserie Lipp. Jean-Claude Laffont lit un journal tout en buvant de la bière. Martial Durieux passe devant la brasserie, aperçoit Jean-Claude, s'arrête.

MARTIAL.—Tiens, Jean-Claude.

JEAN-CLAUDE, levant les yeux de son journal.—Martial. *(Les* [5 *deux hommes se serrent la main.)* Assieds-toi donc une minute. *(Martial s'assoit en face de Jean-Claude.)* Alors, ça va?

MARTIAL.—On ne peut mieux. Et toi?

JEAN-CLAUDE.—Fort bien. Et l'industrie automobile, ça marche?

MARTIAL.—Merveilleusement. Nous venons de mettre au point [10 une voiture sensationnelle: bon marché, consomme peu d'essence . . . Et toi, tes fouilles à Saint-Rémy?

JEAN-CLAUDE.—Ma ville gréco-romaine surgit de terre peu à peu. Je suis à Paris pour consulter des documents à la Bibliothèque Nationale. Passionnant. [15

MARTIAL.—Pour un archéologue; moi, tu sais . . . *(Jetant un coup d'œil au journal de Jean-Claude.)* Comment, toi, un intellectuel, tu lis France-Dimanche, maintenant?

JEAN-CLAUDE, riant.—Pourquoi pas? Ça m'amuse, ces pages qui brûlent, qui pleurent, qui rient. Écoute-moi ça. *(Lisant.)* «La [20 terrible colère du colosse au cœur tendre» et ça: «Tous les jours Black vient pleurer sur la tombe de son maître» et le côté pratique: «Comment maigrir même si vous n'avez pas de volonté». Et toute cette page de caricatures plus ou moins comiques. Ça ne te dit rien?

MARTIAL, riant.—Ma foi, non. Je lis les journaux pour me tenir [25 au courant de la politique mondiale, pas pour m'amuser.

JEAN-CLAUDE.—C'est que tu es père de famille et par conséquent un homme sérieux. Comment vont-ils, tes enfants?

MARTIAL.—Ils vont très bien. Viens dîner à la maison demain soir. Ma femme sera contente de bavarder avec toi. [30

JEAN-CLAUDE.—Moi aussi. Ta femme est une des rares personnes du sexe, comme disaient nos aïeux, avec qui j'ai plaisir à causer.

MARTIAL.—Je me rappelle en effet votre grande discussion sur l'existentialisme. Vous la continuerez, si ce truc-là est toujours à la mode.

JEAN-CLAUDE.—Comme mouvement littéraire, l'existentialisme [35 est passé de mode. En revanche, la philosophie existentialiste est l'objet d'études sérieuses. La tendance du roman moderne est une analyse des platitudes de l'existence. L'étude des sensations y joue un rôle prépondérant et . . .

MARTIAL.—Tu raconteras tout ça à ma femme. Moi, je ne lis [40 guère que des articles scientifiques et, de temps en temps, un roman policier pour m'amuser. Tu méprises ce genre de littérature, je suppose.

JEAN-CLAUDE.—Mais non. Je suis le type du lecteur vorace. Je lis tout ce qui me tombe sous la main. Il m'arrive même de relire les classiques. [45

MARTIAL.—Ce qui me rappelle qu'il te faudra de la patience, demain soir. Figure-toi que ma femme emmène les enfants au Théâtre Français tous les jeudis en matinée. Comme ce sont de véritables singes, je les entends rugir: «Rodrigue, as-tu du cœur? —Tout autre que mon père l'éprouverait sur l'heure.» Et ma fille qui prend des airs de [50 tragédienne: «Que ces vains ornements, que ces voiles me pèsent.» Il paraît que demain soir, nous allons avoir une représentation théâtrale.

JEAN-CLAUDE.—Ça m'amusera. Tu sais bien que je ne suis pas le genre de célibataire endurci qui ne peut pas supporter les enfants.

MARTIAL.—C'est vrai. Je dirai même que tu les gâtes. Le [55 tourne-disques que tu leur as envoyé pour le nouvel an a été bien apprécié, je t'assure. Tes microsillons ont été joués et rejoués.

JEAN-CLAUDE.—On ne s'ennuie pas chez toi.

MARTIAL.—Pour ça, non. Tu n'imagines pas les inventions qui peuvent surgir dans ces quatre têtes. Quand ils étaient plus petits [60 et qu'on les emmenait au cirque, ils imitaient les acrobates. Ma femme avait toujours peur qu'ils ne se cassent un bras ou une jambe. Puis, il y a eu la période des jeux de Peaux-Rouges. La maison retentissait de cris sauvages, de courses effrénées. Pour le moment, ils sont plus calmes mais, l'année prochaine, les deux aînés vont faire des [65 sciences et Dieu sait ce qu'ils vont inventer.

JEAN-CLAUDE.—Je leur enverrai un magnétophone; ça les fera se tenir tranquilles.

MARTIAL.—Tu es vraiment trop aimable. *(Il jette un coup d'œil à sa montre.)* Il faut que j'aille au Musée d'art moderne. [70

JEAN-CLAUDE.—Tu t'intéresses à l'art, maintenant?

MARTIAL.—Non, je vais simplement chercher ma femme et les enfants. Nous dînons chez des amis, ce soir. Tu aimes la peinture moderne, toi? Moi, j'ai toujours l'impression que je pourrais en faire autant. [75

JEAN-CLAUDE.—Je ne voudrais pas te vexer mais je ne crois pas. Je t'assure que lorsque Picasso met deux yeux dans un profil, il y a une raison. La valeur des rythmes, des couleurs . . .

MARTIAL, l'interrompant.—Ne te fatigue pas. Je n'y comprendrai jamais rien. *(Il se lève.)* Alors, à demain soir, sept heures. [80

JEAN-CLAUDE.—Avec plaisir. Au revoir et à demain.

Notes

1. **Saint-Rémy ou Saint-Rémy-de-Provence:** village de Provence célèbre pour ses ruines romaines, un arc et un mausolée. Récemment, des fouilles ont découvert les ruines grecques et romaines de la ville de Glanum près de Saint-Rémy.
2. **France-Dimanche:** journal hebdomadaire populaire.
3. **Existentialisme:** doctrine philosophique d'après laquelle l'homme qui existe d'abord d'une existence quasi métaphysique se crée et se choisit lui-même en agissant. (Voir neuvième leçon: Jean-Paul Sartre.)
4. «**Rodrigue, as-tu du cœur? . . .**» Ces deux répliques sont tirées de la pièce *Le Cid* par Pierre Corneille (1606-1684). Auteur de nombreuses tragédies, Corneille a orienté le théâtre français vers l'analyse des caractères.
5. «**Que ces vains ornements . . .**» Paroles de Phèdre dans la tragédie *Phèdre* par Jean Racine (1639-1699), poète dramatique français. Les personnages de Racine sont aveuglés par leurs passions ou victimes de la fatalité, au contraire de ceux de Corneille qui luttent contre leurs passions.
6. **Le Pont-Neuf** est un des plus anciens ponts de Paris.

A. Questions sur le texte

1. Où se trouve Jean-Claude Laffont?
2. Qu'est-ce qu'il fait en ce moment?
3. Quelle est la profession de Martial?
4. Quelle est la profession de Jean-Claude?
5. Quels sont les avantages de la voiture que la maison de Martial vient de mettre au point?
6. Que fait Jean-Claude en ce moment?

7. Pourquoi se trouve-t-il à Paris?
8. Quelle sorte de journal est France-Dimanche?
9. Citez les titres des articles qui amusent Jean-Claude?
10. Pourquoi Martial lit-il les journaux?
11. Pourquoi Jean-Claude a-t-il plaisir à causer avec la femme de Martial?
12. Quelle est la tendance du roman moderne d'après Jean-Claude?
13. Quelles sont les lectures de Martial?
14. Quel sorte de lecteur est Jean-Claude?
15. Où la femme de Martial emmène-t-elle les enfants tous les jeudis?
16. Quel est le résultat de ces sorties?
17. Qu'est-ce que les enfants vont donner le lendemain soir?
18. Qu'est-ce que Jean-Claude a envoyé aux enfants pour le nouvel an?
19. Que faisaient les enfants quand ils étaient petits?
20. Qu'est-ce que Jean-Claude leur enverra l'année prochaine?
21. Où va Martial maintenant?
22. Résumez ce que vous avez appris sur Jean-Claude et sur Martial dans ce dialogue.

B. Exercice de vocabulaire

Complétez les phrases suivantes à l'aide de mots ou d'expressions trouvés dans le texte:

1. Chez toi on s'amuse toujours; jamais on ne ____.
2. On peut boire de la bière dans une ____.
3. Quand vous voulez demander à un camarade comment il va, vous pouvez dire: «____?» ou «____?»
4. Et votre camarade pour dire qu'il va bien peut répondre: «____» ou «____.»
5. On va à la Bibliothèque Nationale pour consulter des ____.
6. Un archéologue fait des ____ qui découvrent les anciennes civilisations.
7. On n'en parle plus; ce n'est plus à ____.
8. J'aime tous les livres, les bons et les mauvais; je lis tout ____.
9. Vous pouvez aller au théâtre en soirée ou en ____.
10. Il ne se mariera jamais; c'est un ____.
11. Ça ne vous ennuiera pas; au contraire, ça vous ____.
12. On joue des microsillons sur un ____.
13. Quand les enfants jouent aux Peaux-Rouges, on entend des ____.
14. Vous entendrez les fautes que vous faites en français en vous servant d'un ____.

15. C'est très facile; je pourrais en faire _____.
16. Pour dire à un ami que vous le verrez demain, vous lui dites: «_____.»
17. Ils imitent tout ce qu'ils voient; ce sont de véritables _____.
18. Cette nouvelle voiture est extraordinaire, _____.
19. Au lieu de dire: ça ne vous intéresse pas, on peut dire: ça _____.
20. Si vous voulez savoir ce qui se passe dans le monde, il faut vous _____ de la politique mondiale.
21. Le contraire de grossir est _____.

C. Exercice de conversation

Tirez un dialogue du texte suivant. Employez la deuxième personne du singulier:

Gérard traversait le Pont-Neuf lorsqu'il aperçut Germaine qui venait en sens inverse. Il l'interpella joyeusement. Germaine était contente de le voir car Gérard était un ami d'enfance. Gérard lui proposa d'aller boire une limonade à la terrasse d'un café. Germaine refusa car sa mère l'attendait pour aller écouter un concert. Gérard trouvait que c'était absurde de gaspiller un bel aprés-midi à aller écouter de la musique quand on a toute la musique que l'on veut à la radio et qu'on peut l'écouter quand on n'a rien de mieux à faire. Germaine dit en riant que Gérard avait beaucoup de qualités mais que le sens musical lui manquait totalement. Gérard avoua en riant que c'était la vérité, que seule la musique de danse l'intéressait. Germaine lui demanda s'il aimait toujours le théâtre. Il répondit qu'il l'aimait plus que jamais. Germaine lui demanda s'il avait vu le drame de Victor Hugo: *Marie Tudor,* présenté par le Théâtre National Populaire. Gérard dit qu'il l'avait vu et que c'était sensationnel, qu'il n'aurait jamais cru qu'un drame de Victor Hugo pût faire un tel effet sur la scène. Germaine dit qu'elle l'avait vu aussi et qu'elle avait été enthousiasmée, qu'elle se demandait si la représentation du *Cid* par le Théâtre National Populaire était aussi bien réussie. Gérard répondit que, généralement, une pièce qu'on connaît par cœur vous déçoit toujours un peu lorsqu'on la voit sur la scène. Germaine répondit qu'elle était de son avis mais qu'elle aimerait quand même voir cette tragédie classique. Gérard dit que, dans ce cas, il l'invitait à aller voir la pièce avec lui, le jeudi suivant, en matinée. Germaine accepta avec plaisir. Gérard lui demanda si elle préférait une place au parterre ou au premier balcon. Germaine dit qu'elle préférait le premier balcon.

Gérard dit qu'il irait chercher Germaine chez elle. Germaine promit d'être prête à l'heure et les deux jeunes gens se quittèrent.

D. Questions générales

1. Quels sont les articles que vous lisez d'abord dans les journaux?
2. Donnez un court résumé d'un article que vous avez lu dernièrement et qui vous a intéressé (intéressée).
3. Citez quelques-unes des bandes dessinées que l'on trouve dans les journaux américains.
4. Citez quelques titres sensationnels trouvés dans les journaux.
5. Comment les journaux influencent-ils l'opinion publique?
6. Qu'est-ce qu'on trouve ordinairement dans un roman policier?
7. Qu'aimez-vous trouver dans un roman: une étude psychologique, de l'humour, du suspense, de la couleur locale, une philosophie?
8. Quels sont les auteurs préférés de votre génération?
9. Pouvez-vous citer une bonne adaptation cinématographique d'un roman célèbre?
10. Quels sont les compositeurs de musique moderne que vous connaissez?
11. Faites-vous partie de la chorale de l'université?
12. Quels sont les instruments de musique que vous trouvez dans un orchestre symphonique?
13. Votre Cercle français va-t-il donner une pièce cette année?
14. Quel est à votre avis le meilleur dramaturge américain?
15. De quels dramaturges français avez-vous entendu parler?
16. Qu'est-ce que c'est qu'un opéra, un opéra comique, une opérette?
17. Quel est le meilleur film que vous ayez vu cette année? Quel en était le sujet? Où se passait-il? Qui jouaient les principaux rôles?
18. Un écrivain contemporain, Michel de Saint-Pierre, disait en sortant d'une boîte de nuit: «Comme tous ces gens s'ennuieraient s'ils ne croyaient s'amuser.» Expliquez ce que Michel de Saint-Pierre voulait dire par cette remarque.

E. Sujets de compositions écrites ou orales

1. Un dialogue entre une personne qui aime l'art moderne et une personne qui ne l'aime pas.
2. Vous aimez un certain journal (ou un certain magazine). Un de vos camarades en préfère un autre d'un genre totalement différent. Discussion.

SECONDE PARTIE

Première leçon

DEUX EXTRÊMES: QUASIMODO ET LA ESMERALDA

QUASIMODO

Nous n'essaierons pas de donner au lecteur une idée de ce nez tétraèdre, de cette bouche en fer à cheval, de ce petit œil gauche obstrué d'un sourcil en broussailles tandis que l'œil droit disparaissait entièrement sous une énorme verrue, de ces dents désordonnées, ébréchées ça et là, de cette lèvre calleuse sur laquelle une de ces [5 dents empiétait comme la défense d'un éléphant, de ce menton fourchu, et surtout de la physionomie répandue sur tout cela, de ce mélange de malice, d'étonnement et de tristesse.

Toute sa personne était une grimace. Une grosse tête hérissée de cheveux roux; entre les deux épaules, une bosse énorme dont le [10 contrecoup se faisait sentir par devant; un système de cuisses et de jambes si étrangement fourvoyées qu'elles ne pouvaient se toucher que par les genoux, et, vues de face, ressemblaient à deux croissants de faucilles qui se rejoignent par la poignée; de larges pieds, des mains monstrueuses; et, avec toute cette difformité, je ne sais quelle [15 allure redoutable de vigueur, d'agilité et de courage; étrange exception à la règle éternelle qui veut que la force, comme la beauté, résulte de l'harmonie.

On eut dit un géant brisé et mal ressoudé.

Quand cette espèce de cyclope parut sur le seuil de la chapelle, [20 immobile, trapu, et presque aussi large que haut, à son surtout mi-partie rouge et violet, semé de campaniles d'argent et surtout à la perfection de sa laideur, la populace le reconnut sur-le-champ et s'écria d'une voix:

— C'est Quasimodo, le sonneur de cloches! c'est Quasimodo le [25 borgne! Quasimodo le bancal! Noël! Noël!

La Esmeralda

Dans un vaste espace laissé libre entre la foule et le feu, une jeune fille dansait.

Si cette jeune fille était un être humain, ou une fée, ou un ange, c'est ce que Gringoire, tout philosophe sceptique, tout poète [30 ironique qu'il était, ne put décider dans le premier moment, tant il fut fasciné par cette éblouissante vision.

Elle n'était pas grande, mais elle le semblait, tant sa fine taille s'élançait hardiment. Elle était brune, mais on devinait que le jour sa peau devait avoir ce beau reflet doré des andalouses et des ro- [35 maines. Son petit pied aussi était andalou, car il était tout ensemble à l'étroit et à l'aise dans sa gracieuse chaussure. Elle dansait, elle tournait, elle tourbillonnait sur un vieux tapis de Perse, jeté négligemment sous ses pieds; et chaque fois qu'en tournoyant sa rayonnante figure passait devant vous, ses grands yeux noirs vous jetaient un [40 éclair.

Autour d'elle tous les regards étaient fixes, toutes les bouches ouvertes; et en effet, tandis qu'elle dansait ainsi, au bourdonnement du tambour de basque que ses deux bras ronds et purs élevaient au-dessus de sa tête, mince, frêle et vive comme une guêpe, avec son corsage d'or [45 sans pli, sa robe bariolée qui se gonflait, avec ses épaules nues, ses jambes fines que sa jupe découvrait par moments, ses cheveux noirs, ses yeux de flamme, c'était une surnaturelle créature.

— En vérité, pensa Gringoire, c'est une salamandre, c'est une nymphe, c'est une déesse. [50

En ce moment une des nattes de la chevelure de la «salamandre» se détacha, et une pièce de cuivre jaune qui y était attachée, roula à terre.

— Hé non! dit-il, c'est une bohémienne.

(Extraits de *Notre-Dame de Paris,* par Victor Hugo.)

Notes

1. **Hugo, Victor (1802-1885),** poète, romancier, dramaturge, homme politique, domine le dix-neuvième siècle. Il est considéré comme le chef de l'école romantique.

   Son œuvre poétique est considérable. Ses deux drames les plus célèbres sont: *Hernani* (1830) et *Ruy Blas* (1838). Ses deux romans les plus connus sont: *Notre-Dame de Paris* (1831) et *Les misérables* (1862).

2. **Gringoire, Pierre (1478-1538),** poète dramatique et satirique français. Il est l'auteur du *Jeu du prince des Sots et de mère Sotte* (1512), pièce destinée à soutenir la politique du roi Louis XII contre la papauté.
3. **Noël:** au moyen-âge, c'était le cri poussé par la foule pour montrer son approbation. De nos jours, la foule crierait: «Vive Quasimodo!»

A. Questions sur le texte

1. Décrivez en détails le visage de Quasimodo.
2. Quelle était l'expression de son visage?
3. Quels sont les détails qui nous montrent que Quasimodo était difforme?
4. Décrivez Quasimodo apparaissant sur le seuil de la chapelle.
5. Quelle était la profession de Quasimodo?
6. Comment la populace l'a-t-elle accueilli?
7. Où se trouvait la jeune fille? Que faisait-elle?
8. Qui était Gringoire?
9. Quelle impression la jeune fille a-t-elle faite sur Gringoire?
10. Faites un portrait de la jeune fille.
11. Comment était-elle habillée?
12. Sur quoi dansait-elle?
13. Décrivez ses mouvements tandis qu'elle dansait.
14. Comment les gens la regardaient-ils?
15. Que pensait Gringoire tandis qu'il regardait danser la jeune fille?
16. Qu'est-ce qui lui fait conclure que la jeune fille n'est qu'une bohémienne?
17. Montrez comment, sous tous les rapports (visage, corps, expression de sa physionomie), Quasimodo représente la laideur et la tristesse.
18. Montrez comment la Esmeralda représente la beauté, la jeunesse, la joie de vivre (apparence physique, mouvements).
19. Que savez-vous de Victor Hugo?
20. De quel roman ces deux extraits sont-ils tirés?

B. Exercice de vocabulaire

1. *Trouvez dans le texte des mots qui signifient le contraire des mots en italiques:* des dents *régulières,* une taille *épaisse,* des pieds *étroits, soigneusement,* la perfection de sa *beauté,* par *derrière, gaîté,* son petit pied était *à l'aise, grosse, vigoureuse et lente,* toutes les bouches *fermées.*

2. *Trouvez dans le texte des mots qui aient la même signification que les mots en italiques:* une robe *de toutes les couleurs, les cheveux, des souliers, vraiment, toutes les fois,* elle le *paraissait,* elle *tournoyait,* il ne put décider *tout d'abord,* le reconnut *tout de suite, bizarre.*
3. Où habitent les Andalous, les Romains?
4. Comment appelez-vous un homme plus grand que les autres?
5. Expliquez en français ce que c'est qu'un aveugle, un borgne, un muet, un sourd.
6. Comment appelez-vous un philosophe qui doute de tout ce qui n'est pas prouvé d'une manière évidente?
7. Que signifie le mot «corsage» en anglais et en français?

C. Exercice de conversation

Demandez à un (une) camarade:

1. s'il (si elle) s'est bien amusé (amusée) au dernier bal auquel il (elle) a assisté.
2. comment la salle était décorée.
3. si l'orchestre était bruyant ou si la musique était discrète.
4. s'il y avait beaucoup ou peu de lumière dans la salle.
5. si un grand nombre ou un petit nombre d'étudiants assistaient au bal.
6. s'il y avait des personnes âgées parmi les danseurs.
7. si les jeunes gens portaient tous un smoking.
8. à quelle heure le bal a commencé.
9. à quelle heure le bal s'est terminé.
10. à quelle heure il (elle) s'est couché (couchée).
11. si on a servi des rafraîchissements pendant le bal.
12. s'il (si elle) a remarqué des personnes qui s'ennuyaient pendant le bal.
13. s'il y avait beaucoup de mauvais danseurs.
14. s'il (si elle) préfère la danse de ballet à la danse moderne.
15. s'il (si elle) trouve que les concours de beauté sont utiles.
16. quelles sortes de personnes extraordinaires on peut voir dans un cirque.
17. si, en général, nos aïeux étaient plus grands ou plus petits que nous.
18. si la vie humaine est, en général, plus longue ou plus courte qu'autrefois.
19. à quel âge, en général, les enfants cessent de grandir.

20. ce que voulait dire La Rochefoucauld (voir page 170) dans sa maxime: «Les vieux fous sont plus fous que les jeunes.»

D. Questions générales

1. *Vous donnez votre signalement pour obtenir un permis de conduire ou une carte d'identité* (l'âge, le sexe, le poids, la taille, couleur des yeux et des cheveux).
2. *Expliquez le proverbe:* Il n'y a pire sourd que celui qui ne veut pas entendre.
3. Quelles sont les qualités nécessaires à un joueur de football?
4. Quelles sont les qualités nécessaires à une danseuse de ballet?
5. Si vous étiez cinéaste ou téléaste, quel acteur choisiriez-vous pour jouer le rôle de Quasimodo? Quelle actrice choisiriez-vous pour jouer celui de la Esmeralda?
6. Quels personnages plus ou moins grotesques pouvez-vous voir dans un cirque?
7. Hugo a dit que le réel est le mélange du grotesque et du sublime. Êtez-vous de son avis ou trouvez-vous que le réel se trouve généralement à mi-chemin entre le grotesque et le sublime?
8. Un philosophe français du dix-septième siécle, Blaise Pascal (voir page 80), a dit: «Le nez de Cléopâtre: s'il eût été plus court, toute la face de la terre aurait changé.» Expliquez ce que signifie cette pensée.

E. Sujets de compositions écrites ou orales

Vous avez sûrement rencontré, soit dans vos lectures, soit au cinéma ou à la télévision, un personnage ou grotesque ou sublime. Présentez-nous ce personnage en suivant la méthode employée par Victor Hugo pour nous présenter la Esmeralda. (Circonstance dans laquelle apparaît le personnage, son apparence physique, ses gestes, ses actions, impression produite sur le lecteur ou sur les spectacteurs.)

Deuxième leçon

L'ÉDUCATION DE M. LE MARQUIS DE LA JEANNOTIÈRE

Monsieur voulait que son fils apprît le latin, Madame ne le voulait pas. Ils prirent pour arbître un auteur qui était célèbre alors par des ouvrages agréables. Il fut prié à dîner. Le maître de la maison commença par lui dire: «Monsieur, comme vous savez le latin et que vous êtes un homme de la cour . . . » [5

—Moi! Monsieur, du latin! je n'en sais pas un mot, répondit le bel esprit, et bien m'en a pris; il est clair qu'on parle beaucoup mieux sa langue quand on ne partage pas son application entre elle et les langues étrangères. Voyez toutes nos dames; elles ont l'esprit plus agréable que les hommes; leurs lettres sont écrites avec cent fois plus de grâce. [10 Elles n'ont sur nous cette supériorité que parce qu'elles ne savent pas le latin.

—Eh! n'avais-je pas raison? dit Madame. Je veux que mon fils soit un homme d'esprit, qu'il réussisse dans le monde; et vous voyez bien que, s'il savait le latin, il serait perdu. Joue-t-on, s'il vous plaît, la [15 comédie et l'opéra en latin? plaide-t-on en latin, quand on a un procès? fait-on l'amour en latin?

Monsieur, ébloui de ces raisons, passa condamnation, et il fut conclu que le jeune marquis ne perdrait point son temps à connaître Cicéron, Horace et Virgile. «Mais qu'apprendra-t-il donc? car encore faut-il [20 qu'il sache quelque chose; ne pourrait-on pas lui montrer un peu de géographie?»

—A quoi cela lui servira-t-il? répondit le gouverneur. Quand M. le marquis ira dans ses terres, les postillons ne sauront-ils pas le chemin? ils ne l'égareront certainement pas. [25

—Vous avez raison, répliqua le père; mais j'ai entendu parler d'une belle science qu'on appelle, je crois, l'astronomie.

—Quelle pitié! repartit le gouverneur; se conduit-on par les astres dans ce monde? et faudra-t-il que M. le marquis se tue à calculer une éclipse quand il la trouve à point nommé dans l'almanach qui lui [30 enseigne de plus les fêtes mobiles, l'âge de la lune et celui de toutes les princesses de l'Europe?

Madame fut entièrement de l'avis du gouverneur. Le petit marquis était au comble de la joie; le père était très indécis:

—Que faudra-t-il donc apprendre à mon fils? disait-il. [35

—A être aimable, répondit l'ami que l'on consultait; et s'il sait les moyens de plaire, il saura tout; c'est un art qu'il apprendra par Mme sa mère sans que ni l'un, ni l'autre ne se donnent la moindre peine.

Madame, à ce discours, embrasse le gracieux ignorant et lui dit: «On voit bien, monsieur, que vous êtes l'homme du monde le plus [40 savant; mon fils vous devra toute son éducation; je m'imagine pourtant qu'il ne serait pas mal qu'il sût un peu d'histoire.»

—Hélas! Madame, à quoi cela sera-t-il bon? répondit-il. Toutes les histoires anciennes ne sont que des fables convenues: et, pour les modernes, c'est un chaos qu'on ne peut débrouiller. [45

—Rien n'est mieux dit! s'écria le gouverneur: on étouffe l'esprit des enfants sous un amas de connaissances inutiles; mais de toutes les sciences, la plus absurde à mon avis, et celle qui est la plus capable d'étouffer toute espèce de génie, c'est la géométrie. Cette science ridicule a pour objet des surfaces, des lignes et des points qui n'existent [50 point dans la nature. Un seigneur comme M. le marquis ne doit pas se dessécher le cerveau dans de vaines études. Si un jour il a besoin d'un géomètre pour lever le plan de ses terres, il les fera arpenter pour son argent. Il en est de même de tous les arts. Un jeune seigneur, heureusement né, n'est ni peintre, ni musicien, ni architecte, ni sculpteur; [55 mais il fait fleurir tous ces arts en les encourageant par sa magnificence: il vaut sans doute mieux les protéger que les exercer. Il suffit que M. le marquis ait du goût; c'est aux artistes à travailler pour lui; et c'est pourquoi on a très grande raison de dire que les gens de qualité (j'entends ceux qui sont très riches) savent tout sans avoir rien [60 appris parce qu'en effet ils savent, à la longue, juger de toutes les choses qu'ils commandent et qu'ils paient.

Enfin, après avoir examiné le fort et le faible des sciences, il fut décidé que M. le marquis apprendrait à danser.

(Extrait de *Jeannot et Colin,* par Voltaire.)

Notes

1. **Voltaire (1694-1778).** Historien, philosophe, conteur, dramaturge, Voltaire exerça une énorme influence sur la pensée du dix-huitième siécle. Comme historien (*Le siècle de Louis XIV,* 1751), il

présentait cette idée, nouvelle alors, que le commerce et l'industrie sont plus importants que les guerres dans l'histoire d'un pays. Dans toutes ses œuvres, il nous présente sa philosophie: respect de la conscience et de la liberté individuelle, confiance dans le progrès et dans l'efficacité de l'action.

2. **Rousseau, Jean-Jacques (1712-1778).** Par sa sensibilité, son esprit dogmatique, ses idées en avance de son temps, Rousseau a été un précurseur. Dans l'*Emile* (1762), il préconise de nouvelles méthodes pour l'éducation des enfants.
3. **Montaigne, Michel de (1533-1592)**, moraliste. Ses *Essais*, publiés en 1580, contiennent les réflexions que lui ont suggérées ses lectures et ses observations sur lui-même et sur tout ce qui se passait autour de lui.

A. Questions sur le texte

1. Quelle était la question sur laquelle monsieur et madame de la Jeannotière n'étaient pas d'accord?
2. Qui ont-ils invité à dîner?
3. Pourquoi le bel esprit se félicite-t-il de ne pas savoir le latin?
4. Quels sont les supériorités des femmes sur les hommes d'après le bel esprit?
5. Qu'est-ce que la marquise veut que son fils devienne?
6. Quelles raisons donne-t-elle pour que son fils n'apprenne pas le latin?
7. Comment Voltaire se moque-t-il du marquis?
8. Pourquoi son fils n'a-t-il pas besoin d'apprendre l'astronomie?
9. Pourquoi le petit marquis était-il au comble de la joie?
10. Quel compliment le bel esprit fait-il à la marquise?
11. En quoi la réponse de la marquise est-elle comique?
12. Qu'est-ce que l'histoire d'après le bel esprit?
13. Que pense le gouverneur de l'éducation que l'on donne généralement aux enfants?
14. Qu'est-ce que le gouverneur pense de la géométrie?
15. Qu'est-ce qu'on trouve dans l'almanach?
16. Qu'est-ce qu'un noble doit faire?
17. Parmi les gens de qualité, quels sont ceux qui savent tout sans avoir jamais rien appris?
18. Qu'est-ce que le jeune marquis va apprendre?
19. Relevez les phrases qui montrent la frivolité et la sottise des personnages.

20. Choisissez parmi les adjectifs qui suivent ceux qui s'appliquent au style de Voltaire: lourd, pédant, alerte, spirituel, obscur, lent, rapide.

B. Exercice de vocabulaire

Complétez les phrases suivantes en vous servant d'expressions et de mots trouvés dans le texte:

1. Il a étudié avec soin la conjugaison des verbes; ____ car l'examen était presque entièrement sur les verbes.
2. On ne dit plus ____ à dîner mais inviter à dîner.
3. Je n'ai pas étudié ma leçon et, par conséquent, je n'en sais ____.
4. C'est un écrivain; il est l' ____ d'ouvrages agréables.
5. Le russe est, pour nous autres Américains, une langue ____.
6. Je vous assure qu'elle n'est pas du tout stupide; au contraire, c'est une femme ____.
7. Le juge, les membres du jury, écoutent l'avocat qui ____ pour son client.
8. S'il ne me paie pas l'argent qu'il me doit, je lui ferai un ____.
9. Cicéron, Horace et Virgile sont des auteurs ____.
10. On peut dire: j'emploie un stylo à bille ou je ____ d'un stylo à bille.
11. Un synonyme de se perdre en chemin est ____ en chemin.
12. L'étude des astres s'appelle l' ____.
13. La science qui a pour objet l'étude de l'étendue considérée sous ses trois aspects: la ligne, la surface et le volume est ____.
14. Je ne suis pas d'accord avec lui; je ne suis pas de ____.
15. Tout le monde l'aime; elle ____ à tout le monde.
16. Cette affaire est trop compliquée; je ne peux pas arriver à la ____.
17. C'est une remarque inutile, une remarque ____.
18. Si vous voulez bâtir une maison, il faut vous adresser à un ____.
19. Un mécène est un homme qui ____ les arts en protégeant les artistes.
20. Je ne parle pas bien le français maintenant mais j'espère qu' ____ j'arriverai à bien le parler.

C. Exercice de conversation

Jerry voudrait aller suivre des cours de vacances en France pendant l'été. Il demande conseil à son ami Albert qui est français. Lisez les réponses d'Albert, puis imaginez les questions de Jerry.

JERRY. ____

ALBERT.—Mais oui. Beaucoup d'universités françaises ont des cours d'été.

JERRY. _____

ALBERT.—Non, cela ne coûte pas cher.

JERRY. _____

ALBERT.—Mais oui, je connais l'université de Grenoble. La ville n'est pas mal du tout et on peut faire des excursions à Chamonix, au pied du Mont Blanc, ou pousser jusqu'à Genève, en Suisse?

JERRY. _____

ALBERT.—Je ne peux pas t'assurer qu'il fera beau tout l'été. Si tu aimes le soleil, pourquoi ne vas-tu pas à l'université d'Aix.

JERRY. _____

ALBERT.—Aix se trouve tout près de Marseille. Tu prends un car et en moins d'une demi-heure tu te trouves à Aix.

JERRY. _____

ALBERT.—Je ne peux pas te dire exactement. Tu sais que le système français est complètement différent du système américain. On ne donne pas de «credits» en France. Mais je suis sûr que ton prof de français te dira quels cours prendre et combien de «credits» tu peux obtenir de cette façon-là.

JERRY. _____

ALBERT.—Mais oui, je vais en France cet été. Et comme ma famille habite Marseille, je te verrai souvent si tu vas à Aix.

D. QUESTIONS GÉNÉRALES

1. De nos jours, l'étude du latin est-elle nécessaire, importante, utile ou inutile?
2. Quelles sont les professions où il est utile de savoir une langue étrangère?
3. La télévision aide-t-elle au développement de l'esprit des enfants ou, au contraire, présente-t-elle certains dangers?
4. Approuvez-vous la présence des cours obligatoires dans vos études ou préféreriez-vous n'avoir que des cours facultatifs?
5. Qui était Montaigne?
6. Montaigne a dit: «Tête bien faite vaut mieux que tête bien pleine.» Expliquez ce qu'il voulait dire par cette remarque.
7. Qui était Jean-Jacques Rousseau?
8. Dans son livre sur l'éducation, *Emile,* Rousseau dit que les enfants doivent apprendre par l'expérience et non dans les livres. Cette idée vous paraît-elle juste? Ou trouvez-vous que l'expérience est insuffisante et que l'enfant doit aussi apprendre dans les livres?

Troisième leçon

LE RICHE ET LE PAUVRE

Giton a le teint frais, le visage plein et les joues pendantes, l'œil fixe et assuré, les épaules larges, la démarche ferme et délibérée. Il parle avec confiance; il fait répéter celui qui l'entretient, et il ne goûte que médiocrement tout ce qu'il lui dit. Il déploie un ample mouchoir, et se mouche avec grand bruit; il crache fort loin, et il éternue fort haut. [5
Il dort le jour et il dort la nuit, et profondément; il ronfle en compagnie. Il occupe à table et à la promenade plus de place qu'un autre. Il tient le milieu en se promenant avec ses égaux; il s'arrête, et l'on s'arrête; il continue de marcher, et l'on marche: tous se règlent sur lui. Il interrompt ceux qui ont la parole: on ne l'interrompt pas, on l'écoute [10
aussi longtemps qu'il veut parler; on est de son avis, on croit les nouvelles qu'il débite. S'il s'assied, vous le voyez s'enfoncer dans un fauteuil, croiser les jambes l'une sur l'autre, froncer le sourcil, abaisser son chapeau sur ses yeux pour ne voir personne, ou le relever ensuite, et découvrir son front par fierté et par audace. Il est enjoué, grand [15
rieur, impatient, présomptueux, colère, libertin, politique, mystérieux sur les affaires du temps; il se croit des talents et de l'esprit. Il est riche.

Phédon a les yeux creux, le teint échauffé, le corps sec et le visage maigre; il dort peu, et d'un sommeil fort léger; il est abstrait, rêveur, et il a avec de l'esprit l'air d'un stupide; il oublie de dire ce qu'il sait, [20
ou de parler d'événements qui lui sont connus; et s'il le fait quelquefois, il s'en tire mal, il croit peser à ceux à qui il parle, il conte brièvement, mais froidement; il ne se fait pas écouter, il ne fait point rire. Il applaudit, il sourit à ce que les autres lui disent, il est de leur avis; il court, il vole pour leur rendre de petits services. Il est complaisant, [25
flatteur, empressé; il est mystérieux sur ses affaires, quelquefois menteur; il est superstitieux, scrupuleux, timide. Il marche doucement et légèrement, il semble craindre de fouler la terre; il marche les yeux baissés, et il n'ose les lever sur ceux qui passent. Il n'est jamais du nombre de ceux qui forment un cercle pour discourir; il se met derrière celui [30
qui parle, recueille furtivement ce qui se dit, et il se retire si on le regarde. Il n'occupe point de lieu, il ne tient point de place; il va les

épaules serrées, le chapeau abaissé sur ses yeux pour n'être point vu; il se replie et se renferme dans son manteau; il n'y a point de rues ni de galeries si embarrassées et si remplies de monde, où il ne trouve [35 moyen de passer sans effort et de se couler sans être aperçu. Si on le prie de s'asseoir, il se met à peine sur le bord d'un siège; il parle bas dans la conversation, et il articule mal: libre néanmoins avec ses amis sur les affaires publiques, chagrin contre le siècle. Il n'ouvre la bouche que pour répondre; il tousse, il se mouche sous son chapeau, il [40 crache presque sur soi, et il attend qu'il soit seul pour éternuer, ou si cela lui arrive, c'est à l'insu de la compagnie: il n'en coûte à personne ni salut ni compliment. Il est pauvre.

(Extrait de *Les caractères, ou les mœurs de ce siècle,* par Jean de La Bruyère.)

Notes

1. **La Bruyère, Jean de (1645-1696),** passa la plus grande partie de sa vie à la cour du prince de Condé à Chantilly, d'abord comme précepteur du petit-fils de Condé, ensuite comme son secrétaire. *Les Caractères* se composent de maximes et de portraits. Le livre eut un grand succès car les gens se reconnaissaient, ou reconnaissaient leurs amis dans ces portraits.
2. Libertin, au dix-septième siècle, signifiait: qui ne croyait pas en Dieu.
3. Quand quelqu'un éternue, la coutume est de dire: «Dieu vous bénisse.»
4. «Il crache presque sur soi.» Nous dirions aujourd'hui: «Il crache presque sur lui-même.»

A. Questions sur le texte

1. Faites le portrait physique de Giton.
2. Comment agit-il quand il parle à quelqu'un?
3. Comment se mouche-t-il?
4. Pourquoi se permet-il d'avoir de si mauvaises manières?
5. Décrivez son sommeil.
6. Quelle place occupe-t-il à table ou à la promenade?
7. Comment les autres personnes agissent-elles avec lui quand il marche? quand il parle?
8. Comment est-ce qu'il s'assied?
9. Décrivez son caractère.

10. Pourquoi Giton a-t-il tant de confiance en lui-même?
11. Faites le portrait physique de Phédon.
12. Comment dort-il?
13. De quoi a-t-il l'air?
14. Comment parle-t-il aux gens?
15. Comment se conduit-il en compagnie?
16. Décrivez son caractère.
17. Comment marche-t-il?
18. Décrivez son attitude quand il passe dans un endroit rempli de monde.
19. Comment s'assoit-il?
20. Qu'est-ce que l'on dit d'ordinaire quand une personne éternue?
21. Qu'est-ce que l'on dit quand Phédon éternue?
22. Pourquoi Phédon est-il si timide?
23. Étudiez la composition de ces deux morceaux.
24. Choisissez dans la liste suivante des adjectifs qui s'appliquent à ces deux portraits: vivants, ennuyeux, un peu cruels, flatteurs, idéalisés, réalistes.

B. Exercice de vocabulaire

1. *Mettez ces deux portraits au passé:*
   Giton avait le teint frais, et ainsi de suite.
2. *Trouvez dans le texte des expressions équivalentes à:*
   a. Il marche d'un pas ferme.
   b. Il est triste.
   c. Il ne rit jamais.
   d. Il est calme.
   e. Il croit qu'il ennuie ceux à qui il parle.
   f. Il ne parle jamais de ses affaires.
   g. On partage son opinion.
   h. si on lui demande de s'asseoir
   i. en colère contre le siècle
   j. sans que la compagnie le sache
3. *Trouvez dans le texte des expressions contraires à:*
   a. Il s'assoit sur le bord du fauteuil.
   b. Il s'en tire bien.
   c. Il est de l'avis contraire.
   d. Il est stupide.
   e. Il n'aime pas rendre service.

f. Il est scrupuleux.
g. Il se mouche silencieusement.
h. Il dort d'un sommeil lourd.
i. Il raconte toutes ses affaires.
j. Il est riche.

C. Exercice de conversation

Timidité ou bonnes manières?

André et Claude sont dans un café en train de boire des citrons pressés. Une jeune fille entre et va s'asseoir à une table de l'autre côté de la salle. Inventez les répliques de Claude.

ANDRÉ.—Tu vois cette jeune fille blonde. Elle est dans mon cours de chimie. Elle me plaît beaucoup.

CLAUDE. ______

ANDRÉ.—Aller lui parler! Tu n'y penses pas. Nous sommes trente dans le cours. Nous n'avons jamais échangé une parole.

CLAUDE. ______

ANDRÉ.—Mais non, ce n'est pas le moment. Elle me dira qu'elle ne me connaît pas et que j'ai une certaine audace de venir lui parler.

CLAUDE. ______

ANDRÉ.—Non, je ne suis pas timide; j'ai de bonnes manières. Ce n'est pas la même chose.

CLAUDE. ______

ANDRÉ.—Parce qu'elle a jeté un coup d'œil de notre côté, cela ne veut pas dire qu'elle m'ait reconnu ou qu'elle ait envie de nous parler.

CLAUDE. ______

ANDRÉ.—Si je t'ennuie avec ma timidité, va lui parler toi-même et fiche-moi la paix.

(Claude se lève, se dirige vers la jeune fille.)

CLAUDE, à la jeune fille. ______

LA JEUNE FILLE.—En effet, j'ai souvent vu votre camarade au cours de chimie.

CLAUDE, s'asseyant en face d'elle. ______

LA JEUNE FILLE, riant.—Je suis bien forcée de vous permettre de vous asseoir, vous êtes déjà assis.

ANDRÉ, mélancolique.—Les voilà bavardant comme de vieux amis! Décidément, il faudra que je change: timidité ou bonnes manières, ça ne marche pas.

D. Questions générales

1. Quel revenu minimum faut-il avoir pour pouvoir se dire riche?
2. A quel moment de l'année faut-il payer l'impôt sur le revenu?
3. Qui pouvez-vous consulter pour vous aider à remplir votre feuille d'impôt?
4. Dans quelle sorte de maison habite une personne riche? une personne pauvre?
5. Quelle sorte de voiture possède une personne riche? une personne pauvre?
6. Quelles sont les distractions qu'un pauvre ne peut pas se procurer?
7. Quel rôle joue l'indemnité de chômage dans la vie du travailleur?
8. Quel est le but de la sécurité sociale?
9. Pourquoi beaucoup de pères de famille prennent-ils une assurance sur la vie?
10. La richesse donne à Giton une grande confiance en lui-même. Qu'est-ce qui donne à un étudiant (une étudiante) confiance en lui-même (elle-même)?
11. Qu'est-ce qui peut rendre un étudiant (une étudiante) timide dans une classe?
12. Qu'est-ce qui donne à un jeune homme, à une jeune fille, confiance en eux-mêmes quand ils vont à une fête?

E. Sujets de compositions écrites ou orales

1. En suivant la méthode de La Bruyère, faites le portrait d'un bon et d'un mauvais étudiant.
2. Bonnes et mauvaises manières: En quoi consistent les bonnes manières? Une personne qui pense continuellement aux autres, peut-elle avoir de mauvaises manières? Certaines personnes ont de mauvaises manières parce qu'elles pensent ainsi affirmer leur personnalité; est-ce vraiment une bonne manière de s'imposer? Basez votre essai sur des exemples pris autour de vous.

Quatrième leçon

Pauvre Mathilde

(Madame Loisel était une jolie et charmante femme qui adorait les toilettes, les bijoux. Pour aller à un bal, elle a emprunté à madame Forestier, une amie beaucoup plus riche qu'elle, une rivière de diamants. Elle s'est beaucoup amusée au bal mais elle a perdu la parure. Son mari et elle en ont acheté une autre à peu près semblable. Ils ont [5 dû emprunter trente-six mille francs, somme énorme pour eux. Madame Forestier ne s'est pas aperçue de la substitution. Voici la fin du conte.)

Madame Loisel connut la vie horrible des nécessiteux. Elle prit son parti, d'ailleurs, tout d'un coup, héroïquement. Il fallait payer cette dette effroyable. Elle payerait. On renvoya la bonne; on changea [10 de logement; on loua sous les toits une mansarde.

Elle connut les gros travaux du ménage, les odieuses besognes de la cuisine. Elle lava la vaisselle, usant ses ongles roses sur les poteries grasses et le fond des casseroles. Elle savonna le linge sale, les chemises et les torchons, qu'elle faisait sécher sur une corde; elle descendit [15 à la rue, chaque matin, les ordures. Et, vêtue comme une femme du peuple, elle alla chez le fruitier, chez l'épicier, chez le boucher, le panier au bras, marchandant, injuriée, défendant sou à sou son misérable argent.

Le mari travaillait, le soir, à mettre au net les comptes d'un com- [20 merçant, et la nuit, souvent, il faisait de la copie à cinq sous la page.

Et cette vie dura dix ans.

Au bout de dix ans, ils avaient tout restitué, tout, avec le taux de l'usure, et l'accumulation des intérêts superposés.

Madame Loisel semblait vieille maintenant. Elle était devenue [25 la femme forte, et dure, et rude, des ménages pauvres. Mal peignée, avec les jupes de travers et les mains rouges, elle parlait haut, lavait à grande eau les planchers. Mais parfois, lorsque son mari était au bureau, elle s'asseyait auprès de la fenêtre, et elle songeait à cette soirée d'autrefois, à ce bal où elle avait été si belle et si fêtée. [30

Or, un dimanche, comme elle était allée faire un tour aux Champs-

Élysées pour se délasser des besognes de la semaine, elle aperçut tout à coup une femme qui promenait un enfant. C'était Mme Forestier, toujours jeune, toujours belle, toujours séduisante.

Mme Loisel se sentit émue. Allait-elle lui parler? Oui, certes. [35 Et maintenant qu'elle avait payé, elle lui dirait tout. Pourquoi pas?

Elle s'approcha.

—Bonjour, Jeanne.

L'autre ne la reconnaissait point, s'étonnant d'être appelée ainsi familièrement par cette bourgeoise. Elle balbutia: [40

—Mais . . . madame! . . . Je ne sais . . . Vous devez vous tromper.

—Non. Je suis Mathilde Loisel.

Son amie poussa un cri.

—Oh! . . . ma pauvre Mathilde, comme tu es changée! . . .

—Oui, j'ai eu des jours bien durs, depuis que je ne t'ai vue; [45 et bien des misères . . . et cela à cause de toi! . . .

—De moi . . . Comment ça?

—Tu te rappelles bien cette rivière de diamants que tu m'as prêtée pour aller à la fête du Ministère.

—Oui. Eh bien? [50

—Eh bien, je l'ai perdue.

—Comment! puisque tu me l'as rapportée.

—Je t'en ai rapporté une autre toute pareille. Et voilà dix ans que nous la payons. Tu comprends que ça n'était pas aisé pour nous, qui n'avions rien . . . Enfin c'est fini, et je suis rudement contente. [55

Madame Forestier s'était arrêtée.

—Tu dis que tu as acheté une rivière de diamants pour remplacer la mienne?

—Oui. Tu ne t'en étais pas aperçue, hein! Elles étaient bien pareilles. [60

Et elle souriait d'une joie orgueilleuse et naïve.

Mme Forestier, fort émue, lui prit les deux mains.

—Oh! ma pauvre Mathilde! Mais la mienne était fausse. Elle valait au plus cinq cent francs! . . .

(Extrait de *La parure*, par Guy de Maupassant.)

Notes

1. **Maupassant, Guy de (1850-1893),** écrivain du groupe naturaliste. Il est l'auteur de romans: *Bel Ami* (1885), *Pierre et Jean* (1888) et de nombreux contes qui donnent une image poignante des misères

et des médiocrités attachées à la condition humaine de son temps.

2. **Trente-six mille francs:** à peu près trente-six mille dollars à notre époque.

A. Questions sur le texte

1. Qui était Mathilde Loisel?
2. Qu'est-ce qu'elle a emprunté à une amie?
3. Qu'est-ce qui s'est passé pendant le bal?
4. Qu'est-ce que son mari et elle ont fait?
5. Quelle vie Mathilde a-t-elle connue après la restitution du collier?
6. Comment a-t-elle accepté ce changement?
7. Quel logement son mari et elle ont-ils loué?
8. Décrivez la vie d'une femme pauvre à cette époque?
9. Que faisait son mari en plus de son travail au bureau?
10. Combien de temps a-t-il fallu pour rembourser l'argent emprunté pour payer le collier?
11. Quelle sorte de femme Mathilde était-elle devenue?
12. A quoi lui arrivait-il de penser quelquefois?
13. Qu'est-ce que Mathilde a fait un dimanche?
14. Qui a-t-elle rencontré?
15. Comment était madame Forestier?
16. Pourquoi Mathilde a-t-elle hésité à parler à son ancienne amie?
17. Résumez la conversation entre les deux femmes.
18. Imaginez ce qui va se passer maintenant que madame Forestier a admis que la parure était fausse.
19. Quelles qualités les Loisel montrent-ils dans ce conte?
20. Choisissez dans la liste suivante les adjectifs qui s'appliquent au style de Maupassant: simple, pompeux, lyrique, poétique, réaliste, fleuri, vague, précis, impressionniste, naturel.
21. Dans ce conte, quel est l'élément le plus important: l'intrigue, la psychologie, l'atmosphère?

B. Exercice de vocabulaire

1. *Lisez le paragraphe commençant par:* Madame Loisel connut la vie *au futur et à la deuxième personne du pluriel.*
2. *Trouvez des synonymes des mots ou des expressions en italiques:*
   a. Elle *se résigna à* ne plus sortir.
   b. les *durs* travaux du ménage
   c. *Tous les matins,* elle descendait dans la rue.

d. *habillée* comme une femme du peuple
e. La servante a été *congédiée.*
f. Elle était *insultée.*
g. Ils avaient tout *rendu.*
h. Elle était mal *coiffée.*
i. Autrefois, elle avait été trés *admirée.*
j. Allons faire *une promenade.*
k. Il se couche pour se *reposer.*
l. *Certainement,* je le lui dirai.
m. Elle a eu *une vie bien difficile.*
n. Elle est *joliment* contente.
o. Tu te *souviens* bien *de* ce collier.
p. *Ça n'était pas facile.*
q. Les deux bijoux étaient bien *semblables.*

C. Exercice de conversation

Paul a besoin d'argent

Suppléez les répliques de Paul dans les dialogues suivants:

PAUL. ____

GUY.—Mon vieux, je te prêterai 20 francs avec le plus grand plaisir, si je les avais. Mais je suis à sec, je n'ai pas le sou, pas un radis. Non, c'est inexact. Je possède la somme mirobolante de 2 francs mais elle doit durer jusqu'à lundi, jour où je recevrai mon traitement mensuel.

PAUL. ____

GUY.—Quelqu'un d'argenté parmi nos connaissances? Mais oui, Ferdinand Guérin. Tu le connais?

PAUL. ____

GUY.—Puisque tu le connais très bien, tu es sauvé. Ferdinand est un type qui a le cœur sur la main et qui roule sur l'or.

Dans la chambre de Ferdinand:

PAUL. ____

FERDINAND.—Je veux bien mais quand pourras-tu me les rendre?

PAUL. ____

FERDINAND.—Dans une semaine? Bon, ça va. Mais, je te préviens, je demande un intérêt de cinquante pour cent.

PAUL. ____

FERDINAND, riant.—Tu ne feras jamais un homme d'affaires. Il fallait protester au lieu de dire: «ça va»; il fallait me traiter d'usurier, de type sans cœur. Je n'ai pas l'intention de te demander de l'intérêt, voyons.

PAUL. ——

FERDINAND.—Mais non, je ne suis pas un chic type. Entre copains, il faut bien se rendre de petits services.

D. Questions générales

1. A quel taux légal peut-on prêter de l'argent aux États-Unis?
2. A quel taux les banques prêtent-elles de l'argent aux États-Unis?
3. Quand vous avez des économies dans une banque, quel pourcentage d'intérêt la banque vous donne-t-elle?
4. Expliquez comment vous faites un chèque.
5. Qu'est-ce qu'il faut faire quand vous voulez toucher un chèque?
6. Quelles garanties faut-il présenter quand on veut emprunter de l'argent à une banque?
7. De nos jours, monsieur Loisel aurait-il pu se procurer de l'argent sans avoir à s'adresser à des usuriers? (Monsieur Loisel était employé dans un ministère.)
8. Comment la question argent est-elle arrangée pour vous? (Pension que vous donnent vos parents, bourse, travail supplémentaire?)
9. Comment transportez-vous votre argent quand vous faites un long voyage? (Billets de banque, chèques de voyage?)
10. Que feriez-vous si vous receviez un chèque de mille dollars? de dix mille dollars?
11. Expliquez ce que signifie le proverbe: Qui paie ses dettes s'enrichit.
12. Citez des cas où le manque d'argent peut causer des ennuis, des drames.

E. Sujets de compositions écrites ou orales

1. Vous supposez que le conte se passe de nos jours. Avant l'histoire du collier, Mathilde possédait les instruments électroménagers mentionnés dans la troisième leçon de la première partie; vous imaginez aussi qu'avant son mariage Mathilde avait un métier. En gardant la même intrigue, racontez ou récrivez le conte.
2. Après sa rencontre avec madame Forestier, Mathilde rentre chez elle. Elle raconte à son mari sa rencontre avec madame Forestier. Imaginez la conversation entre les deux époux.

Cinquième leçon

La laitière et le pot au lait

Perrette, sur sa tête ayant un pot au lait
    Bien posé sur un coussinet,
Prétendait arriver sans encombre à la ville.
Légère et court vêtue, elle allait à grands pas,
Ayant mis ce jour-là, pour être plus agile, [5
    Cotillon simple et souliers plats.
    Notre laitière ainsi troussée
    Comptait déjà dans sa pensée
Tout le prix de son lait, en employait l'argent,
Achetait un cent d'œufs, faisait triple couvée: [10
La chose allait à bien par son soin diligent.
    Il m'est, disait-elle, facile
D'élever des poulets autour de ma maison;
    Le renard sera bien habile
S'il ne m'en laisse assez pour avoir un cochon. [15
Le porc à s'engraisser coûtera peu de son;
Il était, quand je l'eus, de grosseur raisonnable:
J'aurai, le revendant, de l'argent bel et bon.
Et qui m'empêchera de mettre en notre étable,
Vu le prix dont il est, une vache et son veau, [20
Que je verrai sauter au milieu du troupeau?
Perrette, là-dessus, saute aussi, transportée:
Le lait tombe; adieu veau, vache, cochon, couvée.
La dame de ces biens, quittant d'un œil marri
    Sa fortune ainsi répandue, [25
    Va s'excuser à son mari,
    En grand danger d'être battue.
    Le récit en farce en fut fait;
    On l'appela le Pot au lait.

Quel esprit ne bat la campagne? [30
Qui ne fait châteaux en Espagne?
Pichrocole, Pyrrhus, la laitière, enfin tous,
Autant les sages que les fous.
Chacun songe en veillant: il n'est rien de plus doux;
Une flatteuse erreur emporte alors nos âmes: [35
Tout le bien du monde est à nous,
Tous les honneurs, toutes les femmes.
Quand je suis seul, je fais au plus brave un défi;
Je m'écarte, je vais détrôner le Sophi;
On m'élit roi, mon peuple m'aime; [40
Les diadèmes vont sur ma tête pleuvant:
Quelque accident fait-il que je rentre en moi-même,
Je suis Gros-Jean comme devant.
(Une fable de Jean de La Fontaine.)

Notes

1. **La Fontaine, Jean de (1621-1695),** auteur de contes et de fables. Dans ses fables, il traite les sujets les plus divers. Les animaux y jouent un rôle prépondérant. Chacune d'elles est une comédie ou drame raconté avec grâce, finesse, bonhommie, malice.
2. **Pichrocole:** un des personnages de *Gargantua et Pantagruel,* roman par Rabelais (1494-1553.) Pichrocole est le type du roi conquérant et vantard.
3. **Pyrrhus,** roi d'Épire, célèbre par ses luttes contre les Romains. Il fut tué à la prise d'Argos (272 avant Jésus-Christ) par une vieille femme qui lui jeta une tuile sur la tête du haut d'un toit.
4. **Sophi:** nom donné au souverain en Perse.
5. **Gros-Jean:** nom donné aux paysans; Jean était aussi le prénom de La Fontaine.
6. **Malraux, André (1901-),** écrivain contemporain, auteur de romans: *Les Conquérants, La Condition humaine* et d'un ouvrage d'esthétique, *La Psychologie de l'art.*

A. Questions sur le texte

1. Qui était Perrette?
2. Comment portait-elle le pot au lait?
3. Où allait-elle?
4. Comment était-elle habillée?

5. Qu'est-ce qu'elle comptait dans sa pensée?
6. Comment employait-elle l'argent de son lait?
7. Qu'est-ce que les œufs lui donneront?
8. Qu'est-ce qu'elle achètera avec l'argent que la vente des poulets lui rapportera?
9. Perrette dit «Quand je l'eus . . . ». Pourquoi emploie-t-elle le passé alors qu'elle n'a même pas vendu son lait?
10. Qu'est-ce qu'elle mettra dans l'étable quand elle aura vendu le cochon?
11. Pourquoi Perrette est-elle transportée?
12. Comment finissent les rêves de Perrette?
13. Qui étaient Pichrocole, Pyrrhus?
14. D'après La Fontaine, est-ce que beaucoup de gens font des châteaux en Espagne?
15. Quels sont les rêves que La Fontaine fait pour lui-même?
16. Qu'est-ce qui arrive quand il cesse de rêver?
17. Citez les passages où La Fontaine montre de la malice et de l'ironie.

B. Exercice de vocabulaire

1. *Faites une liste de cinq animaux:*
   a. dans une ferme
   b. dans un cirque
   c. dans un jardin zoologique
2. *Trouvez dans le texte des expressions similaires à:*
   a. sans difficulté
   b. Elle portait une robe courte.
   c. Elle portait des souliers à talons plats.
   d. la partie d'une ferme où se trouvent les veaux, les vaches, les bœufs.
   e. étant donné le prix
   f. d'un œil désolé
   g. On se retrouve aussi pauvre qu'avant.

C. Exercice de conversation

Le chat et le perroquet

Mademoiselle Galland caresse son chat posé sur ses genoux. Assise en face d'elle, mademoiselle Rabutin considère le chat sans affection. Faites les répliques de mademoiselle Rabutin:

MADEMOISELLE RABUTIN. ______

MADEMOISELLE GALLAND.—Vous avez tort de ne pas aimer les chats. Un chat vous tient compagnie. C'est un animal propre, gracieux.

MADEMOISELLE RABUTIN. ______

MADEMOISELLE GALLAND, indignée.—Comment, mon chat, pas intelligent! Mais il est bien plus intelligent que votre perroquet!

MADEMOISELLE RABUTIN. ______

MADEMOISELLE GALLAND.—Votre perroquet parle mais il ne sait pas ce qu'il dit. Un miaulement de mon Minou est bien plus éloquent que toutes les imitations de la voix humaine de votre perroquet.

MADEMOISELLE RABUTIN. ______

MADEMOISELLE GALLAND.—Mais non, mon Minou ne me donne aucun tracas. Et, grâce à lui, jamais une souris dans la maison. Tiens, monsieur Dupanloup qui promène son chien.

MADEMOISELLE RABUTIN. ______

MADEMOISELLE GALLAND.—Eh oui, il aime son chien comme j'aime mon chat. Mais pour d'autres raisons. Un chien vous flatte, vous obéit. Tandis qu'un chat reste fier, indépendant.

MADEMOISELLE RABUTIN. ______

MADEMOISELLE GALLAND.—C'est vrai; quand il a faim, il cesse d'être fier et indépendant. Il se frotte à mes chevilles, il miaule plaintivement.

MADEMOISELLE RABUTIN. ______

MADEMOISELLE GALLAND.—Un hypocrite, mon chat? Peut-être. Mais, je l'aime comme il est. Comme vous aimez votre perroquet.

MADEMOISELLE RABUTIN. ______

MADEMOISELLE GALLAND.—Et oui, comme vous le dites si bien, quand on aime un animal, on aime même ses défauts.

D. QUESTIONS GÉNÉRALES

1. Commentez cette remarque de Malraux à propos d'un de ses personnages: «Trop orgueilleux pour aimer les hommes, il aimait les chats.»
2. Quels sont les endroits où il y a des courses de chevaux et de lévriers aux États-Unis?
3. Comment beaucoup d'enfants se consolent-ils quand ils ont été grondés ou punis?
4. Citez des inventions modernes qui auraient semblé des châteaux en Espagne à nos aïeux.
5. Est-ce que bâtir des châteaux en Espagne risque de détruire notre

énergie en nous empêchant de faire face à la réalité? Dans quelles conditions est-il bon de faire des châteaux en Espagne?

6. La Bruyère a dit: «Les choses les plus souhaitées n'arrivent point; ou si elles arrivent, ce n'est ni dans le temps, ni dans les circonstances où elles auraient fait un extrême plaisir.» Cette remarque vous paraît-elle vraie, ou trouvez-vous que La Bruyère est trop pessimiste?

E. Sujets de compositions écrites ou orales

1. Les animaux et moi: Vous aimez ou vous détestez les animaux, ou les animaux sont pour vous des choses qu'on dissèque dans les laboratoires. Vous avez eu un animal favori quand vous étiez enfant. Vous avez peur de certains animaux (araignées, serpents). Vous aimez aller à la chasse; vous considérez la chasse comme un sport brutal.—Et ainsi de suite.
2. Considérations sur l'habitude de faire des châteaux en Espagne.

Sixième leçon

Gil Blas et le flatteur

(Gil Blas a dix-sept ans. Il s'est acquis une réputation de savant parmi ses camarades à Oviedo, sa ville natale. Il a décidé d'aller chercher fortune à Salamanque et commence ainsi une vie mouvementée. La rencontre avec le parasite est sa première aventure.)

Je demandai à souper dès que je fus dans l'hôtellerie. C'était un [5 jour maigre. On m'accommoda des œufs. Pendant qu'on me les apprêtait, je liai conversation avec l'hôtesse que je n'avais point encore vue. Lorsque l'omelette qu'on me faisait fut en état de m'être servie, je m'assis tout seul à une table. Je n'avais pas encore mangé le premier morceau que l'hôte entra suivi d'un cavalier qui portait une longue rapière [10 et pouvait bien avoir trente ans. Il s'approcha de moi d'un air empressé.

—Seigneur écolier, me dit-il, je viens d'apprendre que vous êtes le seigneur Gil Blas de Santillane, l'ornement d'Oviedo et le flambeau de la philosophie. Est-il bien possible que vous soyez ce savantissime, ce bel esprit dont la réputation est si grande en ce pays-ci? Vous [15 ne savez pas, continua-t-il en s'adressant à l'hôte et à l'hôtesse, vous ne savez pas ce que vous possédez. Vous avez un trésor dans votre maison. Vous voyez dans ce jeune gentilhomme la huitième merveille du monde. Puis, se tournant de mon côté, et me jetant les bras au cou:

—Excusez mes transports, ajouta-t-il; je ne suis point maître de [20 la joie que votre présence me cause.

Je ne pus lui répondre sur-le-champ, parce qu'il me tenait si serré que je n'avais pas la respiration libre, et ce ne fut qu'après que j'eus la tête dégagée de l'embrassade, que je lui dis:

—Seigneur cavalier, je ne croyais pas mon nom connu à [25 Peñaflor.

—Comment connu? reprit-il sur le même ton. Nous tenons registre de tous les grands personnages qui sont à vingt lieues à la ronde. Vous passez ici pour un prodige et je ne doute pas que l'Espagne ne se trouve un jour aussi vaine de vous avoir produit, que la Grèce [30 d'avoir vu naître ses sages.

Ces paroles furent suivies d'une nouvelle accolade, qu'il me fallut essuyer, au hasard d'avoir le sort d'Antée. Pour peu que j'eusse eu d'expérience, je n'aurais pas été dupe de ses démonstrations ni de ses hyperboles; j'aurais bien connu, à ses flatteries outrées, que c'était [35 un de ces parasites que l'on trouve dans toutes les villes, et qui, dès qu'un étranger arrive, s'introduisent auprès de lui pour remplir leur ventre à ses dépens; mais ma jeunesse et ma vanité m'en firent juger tout autrement. Mon admirateur me parut un fort honnête homme, et je l'invitai à souper avec moi. [40

—Ah! très volontiers, s'écria-t-il; je sais trop bon gré à mon étoile de m'avoir fait rencontrer l'illustre Gil Blas de Santillane, pour ne pas jouir de ma bonne fortune le plus longtemps que je pourrai. Je n'ai pas grand appétit, poursuivit-il; je vais me mettre à table pour vous tenir compagnie seulement, et je mangerai quelques morceaux par [45 complaisance.

En parlant ainsi, mon panégyriste s'assit vis-à-vis de moi. On lui apporta un couvert. Il se jeta d'abord sur l'omelette avec tant d'avidité, qu'il semblait n'avoir mangé de trois jours. A l'air complaisant dont il s'y prenait, je vis qu'elle serait bientôt expédiée. J'en ordonnai une [50 seconde, qui fut faite si promptement qu'on nous la servit comme nous achevions, ou plutôt comme il achevait de manger la première. Il y procédait pourtant d'une vitesse toujours égale, et trouvait moyen, sans perdre un coup de dent, de me donner louanges sur louanges: ce qui me rendait fort content de ma petite personne. Il buvait aussi fort [55 souvent; tantôt c'était à ma santé, et tantôt à celle de mon père et de ma mère, dont il ne pouvait assez vanter le bonheur d'avoir un fils tel que moi. En même temps, il versait du vin dans mon verre, et m'excitait à lui faire raison. Je ne répondis point mal aux santés qu'il me portait: ce qui, avec ses flatteries, me mit insensiblement de si belle [60 humeur que, voyant notre seconde omelette à moitié mangée, je demandai à l'hôte s'il n'avait pas de poisson à nous donner. L'hôte qui, selon toutes les apparences, s'entendait avec le parasite, me répondit:

—J'ai une truite excellente; mais elle coûtera cher à ceux qui la mangeront: c'est un morceau trop friand pour vous. [65

—Qu'appelez-vous trop friand? dit alors mon flatteur d'un ton de voix élevé; vous n'y pensez pas, mon ami. Apprenez que vous n'avez rien de trop bon pour le seigneur Gil Blas de Santillane, qui mérite d'être traité comme un prince.

Je fus bien aise qu'il eût relevé les dernières paroles de l'hôte [70 et il ne fit en cela que me prévenir. Je m'en sentais offensé et je dis fièrement à l'hôte:

— Apportez-nous votre truite et ne vous embarrassez pas du reste.

L'hôte qui ne demandait pas mieux, se mit à l'apprêter, et ne tarda guère à nous la servir. A la vue de ce nouveau plat, je vis briller [75 une grande joie dans les yeux du parasite, qui fit paraître une nouvelle complaisance, c'est-à-dire qu'il donna sur le poisson comme il avait donné sur les œufs. Il fut pourtant obligé de se rendre, de peur d'accident, car il en avait jusqu'à la gorge. Enfin, après avoir bu et mangé tout son soûl, il voulut finir la comédie. [80

— Seigneur Gil Blas, me dit-il en se levant de table, je suis trop content de la bonne chère que vous m'avez faite pour vous quitter sans vous donner un avis important, dont vous me paraissez avoir besoin. Soyez désormais en garde contre les louanges. Défiez-vous des gens que vous ne connaîtrez point. Vous en pourrez rencontrer d'autres [85 qui voudront, comme moi, se divertir de votre crédulité, et peut-être pousser les choses encore plus loin. N'en soyez point la dupe, et ne vous croyez point sur leur parole la huitième merveille du monde.

En achevant ces mots, il me rit au nez et s'en alla.

(Extrait de *Gil Blas de Santillane,* par Alain-René Lesage.)

Notes

1. **Lesage, Alain-René (1668-1747),** romancier et dramaturge. *Gil Blas de Santillane* (1715-1736) est considéré comme son meilleur roman. Dans la forme, il s'inspire du roman picaresque espagnol. C'est une vive et amusante satire de la société française.
2. **Oviedo:** ville du nord-ouest de l'Espagne.
3. **Honnête homme:** un homme de bonne famille, poli et cultivé, au dix-septième et au dix-huitième siècle.
4. **Antée:** géant qu'Héraclès étouffa dans ses bras.

A. Questions sur le texte

1. Qu'est-ce que Gil Blas demanda dès qu'il fut dans l'hôtellerie?
2. Qu'est-ce que c'est qu'un jour maigre?
3. Qui entra dans la salle tandis que Gil Blas commençait à manger l'omelette?
4. Qu'est-ce que le cavalier vient d'apprendre?
5. Quels compliments fait-il à Gil Blas?

6. Pourquoi Gil Blas n'a-t-il pas pu répondre sur-le-champ aux démonstrations du cavalier?
7. Si Gil Blas avait eu davantage d'expérience, qu'est-ce qu'il aurait tout de suite compris?
8. Quelle raison le parasite donne-t-il pour accepter l'invitation de Gil Blas?
9. Que disait le parasite à Gil Blas tout en dévorant les deux omelettes?
10. Pourquoi le parasite fait-il boire Gil Blas?
11. Pourquoi l'hôte dit-il que la truite est un morceau trop friand pour Gil Blas?
12. Comment le parasite répond-il à cette objection?
13. Qu'est-ce que Gil Blas vit dans les yeux du parasite quand l'hôte apporta la truite?
14. Pourquoi le parasite s'arrêta-t-il de manger?
15. Comment finit la comédie?
16. Qu'est-ce qui explique la naïveté de Gil Blas?
17. Comment Gil Blas, bien qu'il soit dupe du parasite, se moque-t-il de son invité?
18. Relevez les phrases qui montrent la gourmandise du parasite.
19. Comment Gil Blas se moque-t-il de lui-même?
20. Comment savons-nous que cette histoire se passe en Espagne?

B. Exercice de vocabulaire

1. *Donnez des synonymes des mots ou des expressions en italiques:*
   a. une longue *épée*
   b. Un jour *où on ne mange pas de viande.*
   c. L'omelette était *prête.*
   d. un *homme très savant*
   e. *tout de suite*
   f. une *embrassade*
   g. *J'entamai une* conversation.
   h. je suis *sûr* que
   i. au hasard *d'être étouffé*
   j. des *flatteries exagérées*
   k. *Avec plaisir,* s'écria-t-il.
   l. Je vous *suis très reconnaissant.*
   m. *ma chance*
   n. Il a très vite *fini* son omelette.

o. sans *cesser de manger*
p. *très satisfait*
q. Il m'excitait à *boire autant que lui.*
r. Je fus bien *content* qu'il eût relevé les paroles de l'hôte.
s. *C'était exactement ce que l'hôte voulait.*
t. Il commença à *l'apprêter.*
u. Le vin *l'a rendu très joyeux.*
v. Ne vous *occupez* pas du reste.

2. *Employez dans des phrases les expressions suivantes:*
de peur de; tarder; ne soyez pas dupe de; donner un avis; pour peu que je travaille; à ses dépens; se mettre à table; vis-à-vis de; avec tant d'avidité; il lui faut essuyer.

C. Exercice de conversation

Posez des questions pour obtenir les réponses suivantes:

1. Non, les grandes embrassades ne sont plus à la mode en Europe.
2. Mais oui, on se moquait des embrassades même au dix-septième siècle. Molière disait: «Ces affables donneurs d'embrassades frivoles.»
3. De nos jours, quand deux hommes se rencontrent, ils se serrent la main.
4. Oui, on se serre beaucoup la main en France.
5. Non, il n'est pas poli de se mettre à table le premier quand on est invité chez des amis.
6. Évidemment, c'est gentil de faire quelques compliments à votre hôtesse, mais n'en faites pas trop, elle croirait que vous vous moquez d'elle.
7. Si les hommes sont plus faciles à duper que les femmes! Vous me posez là une question trop difficile.
8. Mais oui, j'aime qu'on me flatte; mais il faut que le compliment paraisse sincère.
9. Ce que j'aurais fait à la place de Gil Blas? J'aurais laissé le parasite manger la première omelette mais je ne lui en aurais pas offert une seconde.
10. Mais oui, je fais toujours maigre le vendredi.
11. Oui, la truite est un poisson d'eau douce.
12. Oui, la pêche à la truite est un sport très amusant.
13. Je n'expédie jamais mon travail; je le fais toujours soigneusement.
14. J'ai passé une heure à préparer cette leçon.

15. Non, je n'ai pas lu le roman *Gil Blas de Santillane* en entier.
16. Mais oui, j'espère bien le lire un jour.
17. Je trouve que Gil Blas est un garçon sympathique.

D. Questions générales

1. Que fait un homme poli quand il se trouve dans un ascenseur avec des femmes?
2. Dans quelles circonstances les hommes cèdent-ils leur place à une femme dans un métro ou un autobus?
3. Pourquoi les hommes sont-ils moins galants avec les femmes aujourd'hui qu'autrefois?
4. Quand on dîne chez des amis, quelles sont les règles à observer si on veut montrer qu'on a de bonnes manières?
5. On dit que la vraie politesse vient du cœur. Expliquez le sens de cette remarque.
6. Citez des circonstances où il est plus important de savoir écouter que de beaucoup parler.
7. Quel âge aviez-vous quand vous avez voyagé seul (seule) pour la première fois?
8. Quelles recommandations vos parents vous ont-ils faites lors de votre premier voyage?
9. Quelles sont les précautions à prendre quand on fait de l'auto-stop?
10. En argot moderne, on appelle resquilleur un parasite ou celui qui se procure un avantage auquel il n'a pas droit. Donnez différentes façons de resquiller à l'université.

E. Sujets de compositions écrites ou orales

1. Un garçon mal élevé: Nathalie amène chez elle un de ses camarades à l'université, Gaston Boulard. Elle ne le connaissait que comme camarade de classe. La mère de Nathalie invite Gaston à dîner. Gaston se montre gourmand, insolent, insupportable. Nathalie raconte l'histoire à une amie.
2. La flatterie et moi: Ce que vous ressentez quand on vous flatte. Vous arrive-t-il de flatter d'autres personnes? Est-ce qu'on flatte les gens qu'on admire? et ainsi de suite.

Septième leçon

Au bonheur des dames

C'était le moment où les vendeurs s'installaient dans leurs rayons que les garçons avaient balayés et époussetés dès cinq heures. Chacun casait son chapeau et son pardessus, en étouffant un bâillement, la mine blanche encore de sommeil.

Sous la lumière vive du hall central, au comptoir des soieries, [5 deux jeunes gens causaient à voix basse. L'un, petit et charmant, cherchait à marier des couleurs de soie, pour un étalage intérieur. Il se nommait Hutin et avait su, en dix-huit mois, devenir un des premiers vendeurs, par une souplesse de nature, une continuelle caresse de flatterie, qui cachait un appétit furieux, mangeant tout, dévorant [10 le monde, même sans faim, pour le plaisir.

—Chut! dix-sept! dit-il vivement à son collègue, pour le prévenir par ce cri consacré de l'approche de Mouret et de Bourdoncle.

Ceux-ci, en effet, continuaient leur inspection en traversant le hall. Ils s'arrêtèrent, ils demandèrent à Robineau des explications, au [15 sujet d'un stock de velours, dont les cartons empilés encombraient une table. Et, comme celui-ci répondait que la place manquait:

—Je vous le disais, Bourdoncle, s'écria Mouret en souriant, le magasin est déjà trop petit! Il faudra un jour abattre les murs jusqu'à la rue de Choiseul . . . Vous verrez l'écrasement, lundi prochain! [20

Et, à propos de cette mise en vente qu'on préparait à tous les comptoirs, il interrogea de nouveau Robineau, il lui donna des ordres. Mais, depuis quelques minutes, sans cesser de parler, il suivait du regard le travail de Hutin, qui s'attardait à mettre des soies bleues à côté de soies grises et de soies jaunes, puis qui se reculait, pour juger de l'har- [25 monie des tons. Brusquement, il intervint.

—Mais pourquoi cherchez-vous à ménager l'œil? dit-il. N'ayez donc pas peur, aveuglez-le . . . Tenez! du rouge! du vert! du jaune!

Il avait pris les pièces, il les jetait, les froissait, en tirait des gammes éclatantes. Tous en convenaient, le patron était le premier étala- [30 giste de Paris, un étalagiste révolutionnaire à la vérité, qui avait fondé l'école du brutal et du colossal dans la science de l'étalage. Il voulait des écroulements, comme tombés au hasard des casiers éventrés, et il les voulait flambants des couleurs les plus ardentes, s'avivant l'un par l'autre. En sortant du magasin, disait-il, les clientes devaient [35 avoir mal aux yeux. Hutin, qui, au contraire, était de l'école classique de la symétrie et de la mélodie cherchée dans les nuances, le regardait allumer cet incendie d'étoffes au milieu d'une table, sans se permettre la moindre critique, mais les lèvres pincées par une moue d'artiste dont une telle débauche blessait les convictions. [40

—Voilà, cria Mouret, quand il eut fini. Et laissez-le . . . Vous me direz s'il raccroche les femmes, lundi!

. . . . (Lundi après-midi.) Mouret se trouvait en haut du grand escalier qui descendait au rez-de-chaussée. Son visage se colorait devant le flot de monde qui, peu à peu, emplissait le magasin. C'était la [45 poussée de l'après-midi, l'écrasement. Mouret dut se ranger pour laisser passer les dames qui montaient à la lingerie et aux confections; tandis que derrière lui, aux dentelles et aux châles, il entendait voler de gros chiffres.

Et Mouret pensait au mécanisme du grand commerce moderne. [50 Le bon marché qui attire, le piège continuel des occasions, les étalages qui étourdissent, la démocratisation du luxe.

(Extrait du roman *Au bonheur des dames,* par Emile Zola.)

Notes

1. **Zola, Emile (1840-1902),** romancier. Chef de l'école naturaliste, Zola est connu surtout pour un ensemble de romans qui constituent l'histoire naturelle et sociale d'une famille sous le second Empire. Dans ces vingt volumes, il étudie les problèmes sociaux de son temps.
2. **Au bonheur des dames** est l'histoire d'un petit magasin de nouveautés que son propriétaire Octave Mouret transforme en un grand magasin qui ruine tout le petit commerce aux alentours.
3. **Bourdoncle et Robineau** occupent des positions importantes dans le magasin.

A. Questions sur le texte

1. A quel moment de la journée commence ce récit?
2. Que faisaient les vendeurs?
3. Que faisaient deux jeunes gens au comptoir des soieries?
4. A quelle position Hutin était-il arrivé?

5. Comment était-il arrivé à cette position?
6. Que signifiait: «Chut! dix-sept!»?
7. Qui était Mouret?
8. Que faisaient Mouret et Bourdoncle?
9. Pourquoi Mouret dit-il que le magasin est déjà trop petit?
10. Qu'est-ce qui se passera lundi prochain?
11. Qu'est-ce que Mouret suivait du regard tout en parlant à Robineau?
12. Quel reproche Mouret fait-il à Hutin?
13. Quel conseil Mouret donne-t-il à Hutin?
14. Quelle sorte d'étalagiste était Mouret?
15. Quel effet veut-il obtenir quand il fait un étalage?
16. Quelle était l'attitude de Hutin tandis qu'il regardait Mouret faire l'étalage?
17. Où se trouvait Mouret le lundi suivant?
18. Qu'est-ce qu'il voyait?
19. Quel est le mécanisme du grand commerce moderne, d'après Mouret?

B. Exercice de vocabulaire

1. *Trouvez dans le texte des expressions ou des mots similaires aux mots en italiques:*
   a. Il *dissimulait* un bâillement.
   b. Il *était pâle* de sommeil.
   c. Il *s'appelait* Hutin.
   d. *Taisez-vous;* voilà le patron.
   e. Il *le questionna.*
   f. Tout le monde *admettait* qu'il était un bon étalagiste.
   g. des *tissus* de soie
   h. Il ne *s'arrêtait* pas de parler.
2. *Trouvez dans le texte des expressions ou des mots contraires aux mots en italiques:*
   a. *bâtir* des murs
   b. *Il n'y avait personne* dans le magasin.
   c. Il cachait *son peu d'*appétit.
   d. Il est *conformiste.*
   e. Il en tire des gammes *ternes.*
   f. Il se trouvait *en bas de* l'escalier.
   g. *devant* lui
   h. *Ce système* était contraire à ses convictions.
   i. le *petit* commerce

3. *Mettez le paragraphe qui commence par* Il avait pris les pièces *au présent de l'indicatif et à la première personne du singulier.*

C. Exercice de conversation

Une Américaine à Paris

Janet Boyle parle très bien le français mais elle ignore que les mesures ne sont pas les mêmes en France et aux États-Unis. Aux États-Unis, elle chausse du cinq et elle prend la taille douze pour ses vêtements. Elle entre aux GALERIES LA FAYETTE *et se dirige d'abord au rayon des chaussures. Elle s'adresse à un vendeur. Suppléez les répliques de Janet:*

JANET. ———

LE VENDEUR.—Nous avons un grand choix de chaussures de sport. Voici un modèle élégant, pratique et qui vous permettra de faire de la marche sans fatigue. Du combien chaussez-vous?

JANET. ———

LE VENDEUR, riant.—Mademoiselle a un tout petit pied mais, tout de même, à vue d'œil, je crois qu'un 35 vous conviendra mieux. Vous permettez que je mesure?

JANET. ———

LE VENDEUR.—C'est bien ce que j'avais dit; un trente-cinq.

JANET. ———

LE VENDEUR.—Ces chaussures coûtent 75 francs.

JANET. ———

LE VENDEUR.—En voici une paire meilleur marché. Seulement 45 francs.

JANET. ———

LE VENDEUR.—Évidemment, l'autre paire est plus jolie. Vous voulez les essayer?

(Janet essaie les deux paires de chaussure; elle se promène de long en large devant le miroir. Puis:)

JANET. ———

LE VENDEUR.—Vous avez raison de prendre les plus chères. Elles dureront plus longtemps.

JANET, riant. ———

LE VENDEUR.—En effet, elles sont beaucoup plus jolies.

D. Questions générales

1. En quoi consiste le travail d'un étalagiste?
2. Quelles sont à votre avis les qualités d'un bon étalagiste?

3. Devant quelles devantures vous arrêtez-vous le plus volontiers?
4. Comment un confiseur, un épicier, un pâtissier peuvent-ils rendre leurs devantures attrayantes?
5. Quels sont les commerces qui marchent toujours?
6. Quels sont les avantages et les inconvénients du travail à la chaîne?
7. On dit en France: Quand le bâtiment va, tout va. Expliquez ce que signifie cette phrase.
8. Un proverbe français dit: Les gros poissons mangent les petits. Comment cette phrase peut-elle s'appliquer au gros et au petit commerce?
9. Comparer le travail de l'artisan au dix-huitième siècle avec le travail de l'ouvrier de nos jours?
10. Quels sont les avantages et les inconvénients des achats à tempérament?

E. Sujets de compositions écrites ou orales

1. La publicité: Étudiez les réclames dans un magazine ou un journal. La psychologie employée pour faire acheter un objet. Les caricatures amusantes. Les dessins qui montrent les objets sous une forme attrayante. Les couleurs dans les photographies en couleur. Différences de présentation entre les vêtements, la nourriture, l'ameublement.
2. L'histoire d'un grand magasin.

Huitième leçon

En avion

Je n'en suis pas à mon premier voyage en avion, mon baptême de l'air remonte à plus de trente ans. Après quoi, j'ai survolé l'Ogaden à bord d'appareils italiens et, plus récemment, je suis allé de Londres ou de Paris en Éthiopie et au Kenya. Mais dix ans se sont écoulés, et je reste stupéfait des immenses progrès en arrivant à l'aéroport d'Orly. Il [5 est vrai qu'à notre époque atomique tout évolue avec une foudroyante rapidité.

Chacun sait comment un avion décolle et le Super-Constellation d'Air France, avec ses 70 tonnes et 65 passagers, s'envole aussi légèrement qu'une libellule. Le temps est radieux, mais à 6000 mètres [10 la campagne se réduit à une carte géographique où les sites les plus pittoresques perdent toute grandeur et toute beauté. Ils se trainent à vos pieds avec une désespérante lenteur et cependant l'appareil file à 500 à l'heure. Un haut-parleur, de temps en temps, nous révèle ce que le regard ne saurait discerner, en même temps qu'il annonce température et altitude—18 degrés à 6500 mètres, mais les ventilateurs [15 soufflent une légère brise tempérée et l'air pressurisé se respire aisément.

Alors que je me croyais encore en banlieue voilà les Alpes étincelantes de neige où le Mont Blanc se voile la face d'un lambeau de nuage, comme vexé d'être regardé de si haut par ces pygmées qui, d'ordinaire, se hissent péniblement au flanc de ses glaciers. [20

—Prière de ne plus fumer, clame le haut-parleur.

Bien sagement j'obtempère tout en regardant la ville éternelle grossir à vue d'œil.

Une heure pour se dégourdir les jambes et je retrouve la sympathique exubérance italienne sous un beau soleil. Ma veste de laine [25 sur le bras, je remonte dans l'avion et bientôt les Apennins, la Calabre et la Sicile, dans la lumière dorée d'une fin d'après-midi, ont glissé sous l'engin magique et le bel azur méditerranéen tout moucheté de blanc s'en va rejoindre le ciel bleu turquoise comme une immense coupe de saphir où, à cette altitude, l'horizon est si haut que le sol [30 semble concave.

Au coucher du soleil le désert de Libye poudroie au loin, tandis que le ciel flamboie en jaune et rouge comme un métal en fusion. Puis brusquement il passe au violet de plus en plus sombre, les étoiles [35 une à une s'allument; la nuit bleue s'étend sur les immensités du désert et le grand oiseau fonce à travers l'espace dans la nuit, avec les crinières de flammes bleues de ses quatre moteurs.

Dans la pénombre bleuâtre de sa cabine le pilote ausculte l'espace et, par d'imperceptibles gestes, guide le vaisseau aérien vers la [40 lointaine piste de Khartoum, là-bas au fond de la nuit, à plus de deux mille kilomètres par-delà les déserts . . . Devant lui, sur le tableau de bord, d'innombrables cadrans le renseignent sur la marche des moteurs, sur l'altitude, la vitesse, et des ondes mystérieuses, comme avec un fil d'Ariane, le tiennent exactement dans sa route. [45

De temps à autre il parle à la terre: Rome tout à l'heure et maintenant Nairobi lui répondent comme si les veilleurs de ces phares obscurs étaient à ses côtés. Et ainsi, guidé par l'onde magique, l'avion perd de l'altitude; il s'enfonce dans le noir sans rien voir au fond du gouffre et, tout à coup, les rampes lumineuses du terrain de Khartoum ap- [50 paraissent comme les étoiles d'un ciel renversé.

(Extrait de *Perdu dans la tempête,* par Henry de Monfreid, avec la permission des *Nouvelles Littéraires,* Larousse, Paris.)

Notes

1. **Monfreid, Henry de (1879-),** est un explorateur. Il a raconté ses aventures dans différents livres.
2. **Éthiopie:** pays en Afrique orientale. **L'Ogaden** est une région dans l'est de l'Éthiopie.
3. **Kenya:** colonie et protectorat britannique en Afrique équatoriale; capitale Nairobi.
4. **La banlieue:** il s'agit ici de la banlieue de Paris, c'est-à-dire toutes les petites villes qui entourent la capitale.
5. **Les Apennins** sont une chaîne de montagnes dans le centre de l'Italie. **La Calabre** est une région dans le sud de l'Italie.
6. **Sicile:** grande île italienne dans la Méditerranée.
7. **Khartoum:** capitale du Soudan dans la région du haut Nil.
8. **A 500 à l'heure:** à 500 kilomètres à l'heure.
9. **Fil d'Ariane:** Ariane (ou Ariadne) donna a Thésée, venu pour combattre le Minotaure, le fil à l'aide duquel il put sortir du Labyrinthe après avoir tué le monstre.

A. Questions sur le texte

1. Quand l'auteur a-t-il reçu le baptême de l'air?
2. Combien de temps s'est-il écoulé depuis son dernier voyage en avion?
3. De quoi est-il stupéfait quand il arrive à Orly?
4. Comment l'auteur décrit-il notre époque?
5. Combien y avait-il de passagers dans l'avion?
6. Comment l'avion s'envole-t-il?
7. Comment était le temps?
8. Comment la campagne apparaît-elle d'une hauteur de 6000 mètres?
9. A-t-on l'impression d'aller vite quand on est en avion?
10. Qu'est-ce que le haut-parleur annonce aux passagers?
11. Qu'est-ce qui rend l'avion confortable?
12. De quoi le Mont Blanc paraît-il vexé?
13. Que clame le haut-parleur?
14. Qu'est-ce qui s'avance à vue d'œil?
15. Qu'est-ce que l'auteur retrouve quand il sort de l'avion?
16. Combien de temps reste-t-il à Rome?
17. Que voit-il pendant la fin de l'après-midi?
18. Qu'est-ce qu'il aperçoit au coucher du soleil?
19. Que voit-on pendant la nuit?
20. Que fait le pilote dans sa cabine?
21. Sur quoi les cadrans renseignent-ils le pilote?
22. Quelle ville répond au pilote?
23. Qu'est-ce qui apparaît tout à coup?
24. A quoi l'auteur compare-t-il les rampes lumineuses de la piste de Khartoum?

B. Exercice de vocabulaire

1. *Expliquez ce que c'est que:*
   a. le baptême de l'air
   b. un haut-parleur
   c. une banlieue
   d. le tableau de bord
   e. un fil d'Ariane
   f. un aéroport
2. *Trouvez dans le texte quatre façons de désigner un avion.*
3. Combien pesait l'avion en «pounds»? (Une tonne équivaut à 1000 kilogrammes et un kilogramme équivaut à 2,2 livres américaines.)

4. Quelle était la vitesse de l'avion en «miles»? (Un kilomètre équivaut à 0,621 «mile».)
5. Quel verbe employez-vous pour dire:
   a. qu'un avion quitte le sol?
   b. qu'un avion vole au-dessus des montagnes?
   c. qu'un avion descend?
   d. qu'un avion va très vite?
6. *Lisez le texte au passé en employant la troisième personne du singulier.*

C. Exercice de conversation

En Caravelle

André rencontre son camarade Marcel au jardin du Luxembourg. Lisez les réponses de Marcel et dites les questions que pose André:

ANDRÉ. ______

MARCEL.—Ce que j'ai fait depuis la dernière fois que nous nous sommes vus? Ah, mon vieux, quelque chose de formidable. Tout le tour de l'Europe en Caravelle.

ANDRÉ. ______

MARCEL.—Comment, tu ne sais pas ce que c'est que la Caravelle? C'est un nouveau type d'avion à réaction, un biréacteur, un avion épatant.

ANDRÉ. ______

MARCEL.—Mais non, au contraire, tu as beaucoup moins de bruit que dans les avions ordinaires. Et tu te trouves installé à deux mille mètres d'altitude sans savoir comment ça s'est fait.

ANDRÉ. ______

MARCEL.—Pour aller de Paris à Londres nous avons mis 41 minutes, 1 h 30 pour aller de Rome à Athènes.

ANDRÉ. ______

MARCEL.—Pour ça, non, on ne voit pas grand-chose des pays qu'on survole. Mais tu n'imagines pas comme c'est palpitant d'être au-dessus des nuages, réellement en plein ciel.

ANDRÉ. ______

MARCEL.—Non, et personne n'avait peur dans l'avion, je t'assure. Les hôtesses de l'air ont déjà l'habitude. Elles étaient trop polies pour le montrer mais je suis sûre qu'elle me trouvait drôle avec mes étonnements.

ANDRÉ. ______

MARCEL.—Je regrette de dire que toutes les gares aériennes se ressemblent. Aucun pittoresque. Que veux-tu? C'est la vie moderne.

D. Questions générales

1. Où se trouvent: la Calabre, l'Éthiopie, Khartoum, Nairobi?
2. Que faut-il faire pour avoir un brevet de pilote?
3. Quelles sont les conditions à remplir pour devenir hôtesse de l'air?
4. Quelles qualités sont nécessaires aux parachutistes?
5. L'auteur nous dit qu'à notre époque tout évolue avec une effrayante rapidité. Donnez des exemples.
6. Comment est-ce que les moyens de communication de plus en plus rapides influencent notre existence?
7. Combien de temps faut-il pour aller de San Francisco à New York en avion?
8. Faites une courte histoire de l'aviation.

E. Sujets de compositions écrites ou orales

1. Un voyage en avion.
2. Comment j'ai obtenu mon brevet de pilote.

Neuvième leçon

Judith voudrait gagner de l'argent

(Cette scène est tirée de la pièce la plus connue d'Henry Becque: *Les corbeaux.* Becque nous présente d'abord une famille heureuse. Le père, industriel, a acquis une belle aisance. Il meurt soudainement. La mère et les trois filles, sans expérience de la vie et des affaires, sont victimes de l'associé du père, du notaire et de l'architecte qui [5 s'emparent de leur fortune.

Dans les scènes précédentes, Merckens, le professeur de musique de Judith, a persuadé à la jeune fille qu'elle était une musicienne remarquable, qu'elle composait de la bonne musique et que sa voix lui aurait permis d'être chanteuse d'opéra. Le déplaisant Merckens [10 qui avait flatté la jeune fille riche, maintenant, et non sans cruauté, dit la vérité à la jeune fille pauvre.

Pour comprendre cette scène, il faut se rappeler que, à cette époque, les préjugés sociaux ne permettaient pas aux jeunes filles de gagner leur vie. De plus, la profession d'actrice était considérée comme [15 déshonorante.)

JUDITH.—Je vais vous faire une petite querelle d'abord, et puis il n'en sera plus question. Je vous ai écrit deux fois pour vous prier de venir me voir, une seule aurait dû suffire.

MERCKENS, entre deux tons.—Êtes-vous certaine de m'avoir [20 écrit deux fois?

JUDITH.—Vous le savez bien.

MERCKENS.—Non, je vous assure; votre première lettre ne m'est pas parvenue.

JUDITH.—Laissons cela. Je n'ai pas besoin de vous dire à quelle [25 situation nous voilà réduites, vous l'aurez deviné en entrant ici.

MERCKENS, après un signe moitié sérieux, moitié comique.—Expliquez-moi . . .

JUDITH.—C'est une histoire qui ne vous intéresserait guère et je ne trouve aucun plaisir à la raconter. En deux mots, nous avons [30 manqué d'argent pour défendre notre fortune; il nous aurait fallu, dans la main, une centaine de mille francs.

MERCKENS—Pourquoi ne m'avez-vous pas parlé de cela? Je vous les aurais trouvés.

JUDITH.—Il est trop tard maintenant. Asseyons-nous. Vous vous [35 souvenez, monsieur Merckens, et vous avez été témoin de notre vie de famille. Nous étions très heureux, nous nous aimions beaucoup, nous n'avions pas de relations et nous n'en voulions pas. Nous ne pensions pas qu'un jour nous aurions besoin de tout le monde et que nous ne connaîtrions personne. (*Merckens a tiré sa montre.*) Vous êtes [40 pressé?

MERCKENS.—Très pressé. Ne faisons pas de phrases, n'est-ce pas? Vous avez désiré me voir, me voici. Vous voulez me demander quelque chose, qu'est-ce que c'est? Il vaut peut-être mieux que je vous le dise, je ne suis pas très obligeant. [45

JUDITH.—Dois-je continuer?

MERCKENS.—Mais oui, certainement, continuez.

JUDITH.—Voici ce dont il s'agit d'abord, je vais tout de suite au plus simple et au plus sûr. Je me propose de mettre à profit les excellentes leçons que j'ai reçues de vous et d'en donner à mon tour. [50

MERCKENS, lui touchant le genou.—Comment, malheureuse enfant, vous en êtes là!

JUDITH.—Voyons, voyons, monsieur Merckens, appelez-moi mademoiselle comme vous avez l'habitude de le faire et prenez sur vous de me répondre posément. [55

MERCKENS—Des leçons! Êtes-vous capable de donner des leçons? Je n'en suis pas bien sûr. Admettons-le. Ferez-vous ce qu'il faudra pour en trouver? Les leçons, ça se demande comme une aumône; on n'en obtient pas avec de la dignité et des grands airs. Il est possible cependant qu'on ait pitié de vous et que dans quatre ou cinq années, pas [60 avant, vous vous soyez fait une clientèle. Vous aurez des élèves qui seront désagréables le plus souvent, et les parents de vos élèves qui seront grossiers presque toujours. Qu'est-ce que c'est qu'un pauvre petit professeur de musique pour des philistins qui ne connaissent pas seulement la clef de sol. Tenez, sans aller chercher bien loin, [65 votre père . . .

JUDITH.—Ne parlons pas de mon père.

MERCKENS.—On peut bien rire un peu . . . il ne vous a rien laissé. (*Pause.*)

JUDITH.—Écartons un peu cette question de leçons. Dans ce [70 que je vais vous dire, monsieur Merckens, ne voyez de ma part ni vanité, ni présomption, mais le désir seulement d'utiliser mon faible talent de musicienne. J'ai composé beaucoup, vous le savez. Est-ce que je ne pourrai pas, avec tant de morceaux que j'ai écrits et d'autres que je produirais encore, assurer à tous les miens une petite aisance? [75

MERCKENS, après avoir ri.—Regardez-moi. *(Il rit de nouveau.)* Ne répétez jamais, jamais, vous entendez, ce que vous venez de me dire; on se moquerait de vous dans les cinq parties du monde. *(Il rit encore.)* Une petite aisance! Est-ce tout?

JUDITH.—Non, ce n'est pas tout. Nous avions parlé autrefois [80 d'une profession qui ne me plaisait guère et qui aujourd'hui encore ne me sourit que très médiocrement. Mais dans la situation où se trouve ma famille, je ne dois reculer devant rien pour la sortir d'embarras. Le théâtre?

MERCKENS.—Trop tard! [85

JUDITH.—J'ai peut-être des qualités naturelles auxquelles il ne manque que le travail et l'habitude.

MERCKENS.—Trop tard! On ne pense pas au théâtre sans s'y être préparé depuis longtemps. Vous ne serez jamais une artiste. Vous n'avez pas ce qu'il faut. A l'heure qu'il est, vous ne trouveriez au [90 théâtre que des déceptions . . . ou des aventures, est-ce ça que vous désirez?

JUDITH.—Mais que puis-je faire alors?

MERCKENS.—Rien! Je vois bien où vous en êtes. Vous n'êtes pas la première que je trouve dans cette situation et à qui je fais cette [95 réponse. Il n'y a pas de ressources pour une femme ou, plutôt, il n'y en a qu'une. Tenez, mademoiselle, je vais vous dire toute la vérité dans une phrase. Si vous êtes honnête, on vous estimera sans vous servir; si vous ne l'êtes pas, on vous servira sans vous estimer; vous ne pouvez pas espérer autre chose. Voulez-vous reparler des leçons? [100

JUDITH.—C'est inutile. Je regrette de vous avoir dérangé.

MERCKENS.—Vous me renvoyez?

JUDITH.—Je ne vous retiens plus.

MERCKENS.—Adieu, mademoiselle.

JUDITH.—Adieu, monsieur. [105

MERCKENS, à la porte.—Il n'y avait rien de mieux à lui dire.

(Extrait des *Corbeaux,* par Henry Becque.)

Notes

1. **Becque, Henry (1837-1899),** auteur dramatique. Ses pièces sont caractérisées par la recherche de la vérité psychologique.
2. **Une centaine de mille francs:** plus de cent mille dollars de nos jours. Il est évident que Merckens n'aurait jamais pu trouver cette somme.
3. **Arbois:** petite ville dans le Jura à l'ouest de la France.
4. **Besançon:** ville importante, en bordure du Jura.
5. **Dijon:** capitale de la Bourgogne, centre universitaire.
6. **Strasbourg:** métropole politique, intellectuelle et religieuse de l'Alsace.

A. Questions sur le texte

1. Pourquoi Judith est-elle étonnée que Merckens ne soit pas venu la voir aussitôt après avoir reçu sa première lettre?
2. Pourquoi Merckens ment-il?
3. Dans quelle situation se trouvent Judith et sa famille?
4. Pourquoi Merckens dit-il qu'il aurait trouvé l'argent?
5. Comment était la vie de Judith avant la mort de son père?
6. Qu'indique le geste de Merckens lorsqu'il tire sa montre?
7. Qu'est-ce que Judith voudrait faire?
8. Pourquoi Merckens se permet-il d'appeler Judith «malheureuse enfant»?
9. Pourquoi Judith dit-elle à Merckens de l'appeler «mademoiselle»?
10. Comment Merckens se venge-t-il de l'attitude digne de Judith?
11. Quel sentiment Merckens montre-t-il quand il parle de ce qu'il faut faire quand on gagne sa vie à donner des leçons?
12. Comment Merckens montre-t-il sa vulgarité innée quand il parle du père de Judith?
13. Quand Judith comprend qu'il lui sera difficile de gagner de l'argent, quel second moyen, basé sur ce que Merckens lui avait dit précédemment, propose-t-elle?
14. De quelle façon brutale Merckens lui répond-il?
15. Quel est le troisième moyen que propose Judith?
16. Pourquoi la profession d'actrice ne plaît-elle pas beaucoup à Judith?
17. Pourquoi Judith ne peut-elle pas devenir chanteuse d'après Merckens?

18. Quelle brutale réponse fait Merckens quand Judith demande ce qu'elle peut faire?
19. Que dissimulent les phrases polies de Judith?
20. Comment Merckens excuse-t-il sa conduite?
21. Que savez-vous de Judith après avoir lu cette scène?
22. Montrez comment, par ses actions et ses paroles, Merckens se montre un personnage déplaisant.
23. D'après cette scène, quel genre de pièce est *Les Corbeaux*?

B. Exercice de vocabulaire

Complétez les phrases suivantes:

1. Puisque vous le savez, je n'ai _____ de vous le dire.
2. Il en est absolument sûr, absolument _____.
3. On dit: il a vu l'accident ou il a été _____ de l'accident.
4. On peut dire: je n'ai pas reçu votre lettre ou votre lettre ne _____.
5. J'ai très peu de temps à vous donner; je suis _____.
6. Un synonyme de «il est question de» est: il _____.
7. Un _____ est un homme qui ne comprend rien aux arts.
8. Le *Jardin sous la pluie* par Claude Debussy est un _____ remarquable.
9. Se tirer d'affaire est un synonyme de _____.
10. Après tout ce que vous m'avez dit, je vois très bien votre situation; je vois très bien où vous _____.
11. Ceci me plaît beaucoup; ceci me _____ énormément.
12. Pour faire comprendre à une personne que sa visite a assez duré, vous lui dites: «Je ne vous _____.»
13. On dit: je vais vous faire un léger reproche ou je vais vous faire une _____.
14. On peut dire: nous aurions eu besoin de trente mille francs ou il nous _____ trente mille francs.
15. C'est un garçon très solitaire; il n'a pas de _____.
16. Cela ne m'amuse pas de vous raconter cette histoire; je n'y trouve _____.
17. Ne nous occupons pas de cette question pour le moment; _____ -la.
18. Parler d'une manière prétentieuse, c'est faire _____.
19. Vous avez remarqué qu'en français on dit une _____ pour une actrice.
20. Un synonyme de maintenant est: à l'heure _____.

21. Vous n'avez pas les qualités nécessaires; vous n'avez pas ce ____.
22. L'ensemble des clients forme la ____.

C. Exercice de conversation

Posez une question correspondant à chacune des réponses suivantes:

1. Pasteur est né en 1822.
2. Il est mort en 1895.
3. Il est né à Dole, une petite ville dans le Jura.
4. Oui, la maison où il est né existe encore; elle est transformée en musée Pasteur.
5. Son père était tanneur.
6. Il a fait ses études secondaires au lycée d'Arbois puis à celui de Besançon.
7. Après avoir terminé ses études au collège de Besançon, il est allé à Paris et il a préparé le concours d'entrée à l'École normale supérieure.
8. Oui, il a été reçu.
9. Après sa sortie de l'école, il a enseigné la physique au lycée de Dijon et la chimie à l'université de Strasbourg.
10. Oui, il s'est marié en 1849.
11. Non, il n'est pas resté à Strasbourg. Il est devenu administrateur de l'École normale supérieure à Paris.
12. Il a fait des recherches sur les fermentations: celles du lait, de la bière, du vin.
13. Il a découvert que la fermentation est produite par un microbe spécifique. Ensuite, il a fait des cultures de microbes et, en atténuant les virus, a obtenu des vaccins.
14. Les applications ont été très importantes. Entre autres, on peut citer la stérilisation des instruments chirurgicaux et la pasteurisation du lait.
15. L'application la plus dramatique a été lorsque Pasteur a guéri un petit garçon qui avait été mordu par un chien enragé.

D. Questions générales

1. Que savez-vous de la situation des jeunes filles vers 1882, date de la pièce *Les corbeaux*.
2. De nos jours, Judith se trouverait-elle dans une situation aussi désespérée? (Voir première partie, neuvième leçon.)

3. Que savez-vous de la lutte des femmes pour gagner leur indépendance?
4. Quelles sont, aujourd'hui, les carrières interdites aux femmes?
5. Quelles sont les professions réservées aux femmes?
6. Expliquez cette boutade: «Pour certaines jeunes filles d'aujourd'hui, l'homme n'est plus un problème mais une solution.»
7. Comment l'université vous prépare-t-elle à votre future profession?
8. Les relations sont-elles importantes pour réussir dans la vie?
9. A un jeune homme qui lui demandait conseil sur son avenir, un écrivain moderne, André Siegfried, a répondu: «Voulez-vous réaliser vos rêves? Réveillez-vous.» Que voulait-il dire par cette boutade?

E. Sujets de compositions écrites ou orales

1. Mariage et carrière.
2. Donnez la biographie d'un scientiste par un dialogue (questions et réponses) imitant l'exercice de conversation.

Dixième leçon

NUMA ROUMESTAN

Numa Roumestan partit à pied avec sa belle-sœur, curieuse et fière de voir Aps au bras du grand homme, la maison où il était né, de reprendre par les rues avec lui les traces de sa petite enfance et de sa jeunesse.

C'était l'heure de la sieste. La ville dormait, déserte et silencieuse. [5
A un tournant, Numa s'écria:

— Voilà ma rue . . . c'est ici que je suis né . . .

C'était dans une rue assez large, une maisonnette obscure et grise entre un couvent d'Ursulines ombragé de grands platanes et un ancien hôtel d'apparence seigneuriale portant des armes incrustées et cette [10
inscription: «Hôtel de Rochemaure».

Roumestan se sentait ému. L'immobilité des choses le frappait; les lauriers roses de l'hôtel avait cette même odeur amère, et il montrait à Hortense l'étroite fenêtre d'où la maman Roumestan lui faisait signe quand il revenait de l'école des frères: «Monte vite, le père est [15
rentré.» Et le père n'aimait pas à attendre.

— Comment, Numa, vous avez été élevé chez les frères?

— Oui, sœurette, jusqu'à douze ans.

Tout en causant, ils suivaient un dédale de ruelles obscures, d'autres rues moins sombres, mais traversées dans leur largeur par le claque- [20
ment de grandes bandes de calicot imprimé, balançant des enseignes: Mercerie, draperie, chaussures; ils arrivaient ainsi à ce qu'on appelle à Aps la placette, un carré d'asphalte en liquéfaction sous le soleil, entouré de magasins clos à cette heure. Un monument inachevé décorait le milieu de la placette. Hortense voulant savoir ce qu'attendait ce [25
marbre blanc et veuf, Roumestan sourit un peu gêné:

—Toute une histoire! dit-il en hâtant le pas.

La municipalité d'Aps lui avait voté une statue, mais les libéraux ayant blâmé très fort cette apothéose d'un vivant, ses amis n'avaient osé passer outre. La statue était toute prête, on attendait sa mort [30
probablement pour la poser. Certes il est glorieux de penser que vos

funérailles auront un lendemain civique, que l'on ne sera tombé que pour se relever en marbre ou en bronze; mais ce socle vide, éblouissant sous le soleil, faisait à Roumestan, chaque fois qu'il passait là, l'effet d'un majestueux tombeau de famille, et il fallut la vue des arènes [35 pour le tirer de ses idées funèbres. Le vieil amphithéâtre, dépouillé de l'animation du dimanche, rendu à sa solemnité de ruine inutile et grandiose, montrait à travers les grilles serrées ses larges corridors humides et froids, où les pierres se descellaient sous le poids des siècles.

—Comme c'est triste, disait Hortense. [40

Mais ce n'était pas triste pour Numa. Son enfance avait vécu là ses meilleures heures tout en joie et en désirs. Oh! les dimanches de courses de taureaux, la flânerie autour des grilles avec d'autres enfants pauvres comme lui, n'ayant pas les dix sous pour prendre un billet! Dans le soleil ardent de l'après-midi, le mirage du plaisir défendu, ils re- [45 gardaient le peu que leur laissaient voir les lourdes murailles, un coin du cirque, les jambes chaussées de bas éclatants des toreros, les sabots furieux de la bête, la poussière du combat s'envolant avec les cris, les rires, les bravos. L'envie d'entrer était trop forte. Alors, les plus hardis guettaient le moment où la sentinelle s'éloignait; et l'on se glissait [50 avec un petit effort entre deux barreaux.

—Moi, je passais toujours, disait Roumestan épanoui.

Toute l'histoire de sa vie se résumait bien dans ces deux mots: soit chance, soit adresse, si étroite que fût la grille, le Méridional avait toujours passé. [55

—C'est égal, ajouta-t-il en soupirant, j'étais plus mince qu'aujourd'hui.

Et son regard allait avec une expression de regret comique du grillage serré des arcades au large gilet blanc où ses quarante ans sonnés bedonnaient ferme. [60

(Extrait de *Numa Roumestan,* par Alphonse Daudet.)

Notes

1. **Daudet, Alphonse (1840-1897),** romancier. Daudet naquit à Nîmes. Des revers de fortune obligèrent sa famille à aller vivre à Lyon en 1849, mais Daudet garda toute sa vie la nostalgie du Midi. Il a écrit de nombreux romans, comme *Le petit chose* (1868), roman autobiographique; *Tartarin de Tarascon* (1872), où il se moque, mais avec sympathie, des Méridionaux; *Fromont jeune et Risler aîné,* études de mœurs.

Numa Roumestan est l'histoire d'un Méridional qui est arrivé à occuper une position importante dans la politique. Hortense, sa belle-sœur, est Parisienne.

2. **Aps:** Aps-en-Provence est une ville imaginaire que Daudet, de son propre aveu, a «bâtie avec des morceaux d'Arles, de Nîmes, de Saint-Rémy».
3. **L'école des frères:** il s'agit des frères de la Doctrine Chrétienne, institués en 1680 pour l'éducation des enfants pauvres.

A. Questions sur le texte

1. Avec qui Numa Roumestan est-il sorti?
2. Qu'est-ce que nous apprenons sur Numa Roumestan dans le premier paragraphe?
3. Comment était la ville à ce moment-là?
4. Où se trouvait la maison dans laquelle Numa était né?
5. Quelle sorte de maison était-ce?
6. Pourquoi Numa se sentait-il ému?
7. A quelle école Numa était-il allé?
8. Décrivez la place d'Aps.
9. Qu'est-ce qui s'élevait au milieu de la place?
10. Quelle était l'histoire du monument inachevé?
11. Pourquoi Numa n'aimait-il pas voir ce monument?
12. Quel monument historique ont-ils vu ensuite?
13. Comment Hortense trouvait-elle les arènes?
14. Qu'est-ce qu'il y avait dans les arènes, le dimanche, quand Numa était enfant?
15. Pourquoi Numa et ses petits camarades ne pouvaient-ils pas entrer dans les arènes?
16. Que faisaient les enfants quand la sentinelle s'éloignait?
17. A quoi Numa réussissait-il toujours?
18. De quel image Daudet se sert-il pour nous montrer comment Numa a réussi dans la vie?
19. Quel âge a Numa maintenant?
20. Qu'est-ce que Numa constate quand il regarde son gilet blanc?
21. Résumez ce que vous avez appris sur Numa Roumestan dans ce passage?
22. Quelle impression vous laisse la ville d'Aps?
23. Daudet montre-t-il de l'humour dans ce passage?

B. Exercice de vocabulaire

Complétez les phrases suivantes à l'aide de mots ou d'expressions tirés du texte:

1. Une petite place est une ____.
2. Une petite maison est une ____.
3. Dormir l'après-midi s'appelle faire la ____.
4. Rien ne remuait; tout était ____.
5. Il n'éprouvait aucune émotion; il n'était pas ____.
6. Ce n'est pas une odeur douce; c'est une odeur ____.
7. On trouve du fil, des aiguilles, de la laine, des aiguilles à tricoter à la ____.
8. L'asphalte fondait; il était en ____.
9. Ce devoir n'est pas fini; il est ____.
10. Une école religieuse s'appelle une ____.
11. L'ensemble des hommes qui administrent une ville forme la ____.
12. Il songeait à la mort; il avait des pensées ____.
13. On dit: un enterrement ou des ____.
14. Ce sera long et difficile à expliquer car c'est toute ____.
15. Vous avez remarqué que lorsque le nom commence par une voyelle, on ne dit pas vieux mais ____.
16. Les courses de taureaux ont toujours lieu dans des ____.
17. On ne vous laissera pas entrer dans les arènes si vous n'avez pas acheté un ____.
18. Le contraire de tristesse est ____.
19. Il désirait entrer; il en ____.
20. Il était très heureux, il était ____ quand il entendit la bonne nouvelle.
21. Les religieuses vivent dans un ____.
22. Un homme né dans le midi de la France est un ____.
23. Le contraire de sec est ____.

C. Exercice de conversation

Mettez le récit que vous venez de lire sous forme de dialogue. Suivez le plan suivant en ajoutant autant de détails que possible:

Numa propose à Hortense de visiter la ville.
Hortense accepte avec plaisir.
Hortense remarque que la ville est endormie.
Numa montre à sa belle-sœur la maison où il est né.

Il explique à Hortense pourquoi il est ému.

Hortense est étonnée qu'il ait été élevé chez les frères.

Il montre à Hortense différentes rues, puis la placette.

Hortense demande pourquoi le monument au centre de la placette est inachevé.

Numa lui explique l'histoire du monument inachevé.

Hortense dit qu'elle trouve les arènes tristes et elle explique pourquoi.

Numa lui raconte les bons souvenirs que les arènes lui ont laissés puis il admet qu'il n'est plus aussi mince qu'autrefois.

D. Questions générales

1. Dans quelle ville êtes-vous né (née)?
2. Racontez un souvenir d'enfance se rapportant à la ville.
3. Est-ce que cette «immobilité des choses» est aussi frappante dans les petites villes américaines que dans les petites villes françaises?
4. Numa Roumestan entrait dans les arènes sans acheter de billets. Vous est-il arrivé d'accomplir des actions similaires quand vous étiez enfant?
5. Quels étaient vos jeux favoris quand vous étiez enfant?
6. Quelles sont les différentes formes de gouvernement dans le monde actuel?
7. Quels sont les principaux partis politiques aux États-Unis?
8. Quelles sont les qualités nécessaires à un homme d'état?
9. Parmi les hommes d'état américains, quel est celui qui vous semble avoir exercé l'influence la plus durable?
10. Pourquoi est-il important que tout le monde vote dans les élections?
11. Quand vous votez, votez-vous pour le candidat qui représente votre parti ou pour celui qui vous paraît le plus sympathique?
12. Quel est le rôle des Nations Unies?
13. Que savez-vous d'Alphonse Daudet?

E. Sujets de compositions écrites ou orales

1. Un personnage historique: Sa vie, ses actions, son caractère; pourquoi vous l'avez choisi.
2. Un dialogue avant les élections: Deux personnes de partis opposés discutent des mérites de leur candidat et de la valeur de leur politique.

Onzième leçon

Au château de Combourg

Le calme morne du château de Combourg était augmenté par l'humeur taciturne et insociable de mon père. Au lieu de resserrer sa famille et ses gens autour de lui, il les avait dispersés à toutes les aires de vent de l'édifice. Sa chambre à coucher était placée dans la petite tour de l'est, et son cabinet dans la petite tour de l'ouest. L'appartement de ma mère régnait au-dessus de la grande salle, entre les deux petites tours: il était parqueté et orné de glaces de Venise. Ma sœur habitait un cabinet dépendant de l'appartement de ma mère. La femme de chambre couchait loin de là, dans le corps de logis des grandes tours. Moi, j'etais niché dans une espèce de cellule isolée au haut de la tourelle de l'escalier qui communiquait de la cour intérieure aux diverses parties du château. Au bas de cet escalier, le valet de chambre de mon père et le domestique habitaient dans des caveaux voûtés, et la cuisinière tenait garnison dans la grosse tour de l'ouest. [5] [10]

Mon père se levait à quatre heures du matin, hiver comme été. On lui apportait un peu de café à cinq heures; il travaillait ensuite dans son cabinet jusqu'à midi. Ma mère et ma sœur déjeunaient chacune dans leur chambre, à huit heures du matin. Je n'avais aucune heure fixe, ni pour me lever, ni pour déjeuner; j'étais censé étudier jusqu'à midi: la plupart du temps je ne faisais rien. [15] [20]

A onze heures et demie, on sonnait le dîner que l'on servait à midi. La grand-salle était à la fois salle à manger et salon: on dînait et l'on soupait à l'une de ses extrémités du côté de l'est; après le repas, on venait se placer à l'autre extrémité du côté de l'ouest, devant une énorme cheminée. [25]

Après dîner, mon père visitait ses potagers, allait à la pêche ou à la chasse. Ma mère se retirait dans la chapelle, où elle passait quelques heures en prières. Ma sœur Lucille s'enfermait dans sa chambre. Je regagnais ma cellule ou j'allais courir les champs.

A huit heures, la cloche annonçait le souper. Après le souper, dans les beaux jours, on s'asseyait sur le perron. Mon père, armé de son fusil, tirait des chouettes qui sortaient des créneaux à l'entrée de [30] la nuit. Ma mère, Lucile et moi, nous regardions le ciel, les bois, les derniers rayons du soleil, les premières étoiles. A dix heures on rentrait et l'on se couchait. [35

Les soirées d'automne et d'hiver étaient d'une autre nature. Le souper fini et les quatre convives revenus de la table à la cheminée, ma mère se jetait, en soupirant, sur un vieux lit de jour; on mettait devant elle un guéridon avec une bougie. Je m'asseyais auprès du feu avec Lucile; les domestiques enlevaient le couvert et se retiraient. Mon père [40 commençait alors une promenade qui ne cessait qu'à l'heure de son coucher. Lorsqu'en se promenant il s'éloignait du foyer, la vaste salle était si peu éclairée par une seule bougie qu'on ne le voyait plus; puis il revenait lentement vers la lumière et émergeait peu à peu de l'obscurité comme un spectre, avec sa robe blanche, son bonnet blanc, sa [45 figure longue et pâle.

Dix heures sonnaient à l'horloge du château; mon père s'arrêtait, tirait sa montre, la montait, prenait un grand flambeau d'argent surmonté d'une grande bougie et s'avançait vers sa chambre à coucher. Lucile et moi, nous nous tenions sur son passage; nous l'embras- [50 sions en lui souhaitant une bonne nuit. Il penchait vers nous sa joue sèche et creuse sans nous répondre, continuait sa route et se retirait au fond de la tour, dont nous entendions les portes se refermer sur lui.

Le talisman était brisé; ma mère, ma sœur et moi, transformés en statues par la présence de mon père, nous recouvrions les fonctions [55 de la vie. Le premier effet de notre désenchantement se manifestait par un débordement de paroles.

Ce torrent de paroles écoulé, je conduisais ma mère et ma sœur à leur appartement. Avant de me retirer, elles me faisaient regarder sous les lits, dans les cheminées, derrière les portes, visiter les escaliers, [60 les passages et les corridors voisins. Toutes les traditions du château, voleurs et spectres, leur revenaient à la mémoire. Elles se mettaient au lit mourantes de peur; je me retirais au haut de ma tourelle.

L'entêtement du comte de Chateaubriand à faire coucher un enfant seul au haut d'une tour pouvait avoir quelques inconvénients; [65 mais il tourna à mon avantage. Cette manière violente de me traiter me laissa le courage d'un homme sans m'ôter cette sensibilité d'imagination dont on voudrait priver la jeunesse. Les vents de la nuit, dans ma tour déshabitée, ne servaient que de jouets à mes caprices et d'ailes à mes songes. [70

(Extrait des *Mémoires d'outre-tombe,* par François-René de Chateaubriand.)

Notes

1. **Chateaubriand, François-René de (1768-1848),** écrivain et homme politique, mena une vie très mouvementée. Il fit un voyage aux États-Unis en 1791, passa quelques années à Londres en exil, joua un rôle important sous la Restauration. Ses œuvres: *Le génie du christianisme* (1802) et *Les martyrs* (1809) le font considérer comme un des précurseurs du romantisme. Les *Mémoires d'outre-tombe* racontent son enfance, ses voyages et sa vie politique.
2. **Le château de Combourg** existe encore de nos jours. Il se trouve en Bretagne près de Saint-Malo. C'est un ancien château féodal où, nous dit Chateaubriand, on aurait facilement logé «cent chevaliers, leurs dames, leurs écuyers, leurs valets et leurs destriers». Chateaubriand a fait plusieurs séjours à Combourg lorsqu'il était enfant. Il y revint à l'âge de dix-sept ans et y passa deux ans.
3. **Ses gens:** nous disons aujourd'hui: ses domestiques.
4. **Dîner:** on remarquera qu'on disait alors: déjeuner, dîner et souper; aujourd'hui nous disons: petit déjeuner, déjeuner, dîner. Le terme souper est réservé pour un repas léger après le théâtre ou tard, la nuit.

A. Questions sur le texte

1. Où se trouve le château de Combourg?
2. Pourquoi le père de Chateaubriand avait-il dispersé sa famille et ses gens dans les différentes parties de l'édifice?
3. Où était placée la chambre à coucher du père?
4. Où se trouvait l'appartement de la mère?
5. Où couchait la femme de chambre?
6. Où était la chambre de Chateaubriand?
7. Où habitaient les domestiques?
8. Quelles étaient les occupations du père pendant la matinée?
9. A quelle heure la mère et la sœur de Chateaubriand déjeunaient-elles?
10. Comment Chateaubriand passait-il la matinée?
11. A quelle heure servait-on le dîner?
12. Que faisait le père pendant l'après-midi?
13. Comment la mère et Lucile passaient-elles l'après-midi?
14. Que faisait Chateaubriand pendant ce temps?
15. Que faisait la famille après souper quand il faisait beau?

16. Où la famille passait-elle la soirée en automne et en hiver?
17. Décrivez la promenade du père.
18. Qu'est-ce qui arrivait quand dix heures sonnaient à l'horloge du château?
19. Comment la mère et les enfants étaient-ils transformés après le départ du père?
20. Qu'est-ce que la mère et Lucile demandaient à Chateaubriand de faire avant de les laisser seules?
21. Comment le fait de coucher dans une chambre isolée a-t-il influencé le caractère de Chateaubriand?
22. Faites une analyse du caractère du père de Chateaubriand.

B. Exercice de vocabulaire

Complétez les phrases suivantes:

1. Elle parle très peu; elle est plutôt _____.
2. Il n'aime pas avoir des gens autour de lui; il est vraiment _____.
3. La chambre est _____ ce qui signifie qu'elle a un parquet.
4. Je peux me coucher quand je veux; je n'ai pas d' _____.
5. Vous pouvez dire au bout de la chambre ou à l' _____ de la chambre.
6. Autrefois, pour se chauffer, on faisait du feu dans une _____.
7. Autrefois, on s'éclairait avec des _____.
8. Le contraire de je me suis approché est _____.
9. Une petite tour est une _____.
10. Une maison où personne n'habite est une maison _____.
11. Un synonyme de rêve est _____.
12. Les chambres se trouvaient des deux côtés du _____.
13. Un jardin où on cultive des légumes est un _____.
14. La _____ est un oiseau nocturne.
15. On peut dire: je devais ou j'étais _____ faire mon travail.
16. Les quatre points cardinaux sont: le nord, le sud, l' _____ et l' _____.
17. Un synonyme de fantôme est _____.
18. C'est une toute petite chambre, une _____.
19. On peut dire: je retournais à ma cellule ou je _____ ma cellule.
20. Un synonyme d'immense est _____.
21. Le contraire d'absence est _____.
22. Le contraire de mettre le couvert est _____ le couvert.
23. Pendant la nuit, vous voyez la lune et les _____ dans le ciel.

C. Exercice de conversation

Jeanne s'ennuie

Un dimanche après-midi. Jeanne et sa sœur Pauline sont dans leur chambre à coucher. Suppléez les répliques de Pauline:

JEANNE, soupirant.—Ce qu'on peut s'ennuyer un dimanche après-midi!

PAULINE. _____

JEANNE.—Non, je ne veux pas aller au cinéma. Tous les films que l'on donne en ce moment sont idiots.

PAULINE. _____

JEANNE.—Tu sais bien que la télévision n'a pas de bons programmes le dimanche après-midi.

PAULINE. _____

JEANNE.—Jouer aux cartes? Non, ça ne me dit rien.

PAULINE. _____

JEANNE.—Lire! Nous ne faisons que ça toute la semaine. Ce n'est pas la peine d'avoir un jour de congé pour le passer à lire.

PAULINE. _____

JEANNE.—Oui, j'ai entendu le téléphone. Descends répondre si tu veux; ça ne m'intéresse pas.

(Pauline sort de la chambre. Elle revient au bout de quelques minutes.)

PAULINE. _____

JEANNE, bondissant du fauteuil où elle était assise.—Comment c'était Daniel et tu ne m'as pas appelée?

PAULINE. _____

JEANNE.—Tu lui as dit que je ne voulais pas aller au cinéma avec lui parce qu'il n'y a que des films idiots en ce moment! Oh, non, comment as-tu pu faire une chose pareille?

PAULINE. _____

JEANNE.—C'est vrai que j'ai dit ça; mais avec Daniel n'importe quel cinéma vaut la peine d'être vu. *(Elle se met à pleurer.)*

PAULINE. _____

JEANNE.—Tu lui as dit de venir me chercher! Oh, Pauline, que tu es gentille!

PAULINE. _____

JEANNE.—Oui, ma mauvaise humeur est passée. Figure-toi que Daniel avait dit qu'il téléphonerait ce matin et comme il n'avait pas téléphoné, je m'imaginais qu'ils ne téléphonerait plus et . . .

PAULINE. ______

JEANNE.—Tu es un ange; tu comprends tout.

D. Questions générales

1. Quels sont les meubles qui se trouvent dans une chambre à coucher, une salle à manger, un salon ou, comme on dit maintenant, une salle de séjour?
2. Si vous aviez à meubler un appartement dans un gratte-ciel, choisiriez-vous des meubles anciens ou modernes?
3. Quelles sont les demeures historiques que vous connaissez aux États-Unis?
4. Comment imaginez-vous le château de Combourg?
5. Quels sont les avantages d'un appartement climatisé?
6. Avez-vous jamais entendu parler d'une maison hantée?
7. Chateaubriand nous parle de cette sensibilité d'imagination qu'on voudrait ôter à la jeunesse; l'éducation moderne contribue-t-elle à augmenter ou à diminuer cette sensibilité d'imagination?
8. Aimeriez-vous passer une nuit, seul (seule), au château de Combourg? Donnez les raisons qui ont dicté votre réponse.
9. Saint-Exupéry, Antoine de (1900-1944), aviateur et homme de lettres et lui-même connu pour son courage a écrit: «Le courage n'est pas fait de bien beaux sentiments: un peu de rage, un peu de vanité, beaucoup d'entêtement et un plaisir sportif vulgaire. Surtout l'exaltation de sa force physique qui pourtant n'a rien à y voir.» Cette analyse du courage vous paraît-elle exacte? Ou trouvez-vous que le courage exige d'autres qualités?
10. Pouvez-vous citer un film au cinéma ou à la télévision qui exalte le courage?
11. Quel roman ou conte provoquant la terreur avez-vous lu récemment?

E. Sujets de compositions écrites ou orales

1. La plus grande terreur de ma vie.
2. La vieille demeure.
3. Un personnage extraordinaire.

Douzième leçon

Soirée d'automne

Sept heures sonnaient. Je saluai ma grand-tante, la présidente de B . . . , je lui pris galamment la main et l'embrassai en bon neveu.

J'avais une bonne demi-lieue à faire pour gagner la voiture; une demi-lieue de chemin en une demi-heure, bon Dieu! dans des terres défoncées, par un vent diabolique et par une vraie nuit de sabbat! [5 Les hauts peupliers se penchaient, se redressaient dans le ciel, la vallée était comme un gouffre, les rafales tournoyaient à plaisir, se déroulaient autour des coteaux, remontaient furieusement toute une pente, couchaient bas les échalas d'une pauvre vigne; c'était un bruit, un froissement, un cliquetis, des ronflements de basse, des éclats [10 comme de tonnerre et des mugissements comme de grandes eaux.

Enfin, arrivé aux messageries. Je suis le seul voyageur.

Monté en voiture. La pluie tombe à torrents. J'ai fait trois pas dans la rue et je suis trempé d'eau. Le marche-pied se relève, la portière se ferme. En avant et brûlons le pavé. [15

Dieu! quel vacarme! Moi seul dans une arche de Noé, dans une espèce de cage à promener les animaux vivants de foire en foire. Les chevaux battaient le fer; les roues hoquetaient; la caisse de la voiture, vieille, désemparée, craquait à chaque secousse; les vitres sautaient et vibraient à se fêler dans leur châssis; un carreau cassé laissait le [20 vent gémir sur tous les tons et la pluie faisait grêle contre le verre.

Je me sentis d'abord tout abasourdi. Le bruit, et puis un malaise général. J'avais froid, j'essayais tous les coins de la voiture pour trouver une position convenable. Je renfonçai ma tête dans mes épaules; enfin, je m'étendis sur la banquette et bientôt la fatigue, le vent qui [25 m'avait âprement malmené, le manque d'air de la voiture, tout contribua à m'assoupir. J'entrai petit à petit dans un demi-sommeil assez maussade et assez pesant, rudement bercé par les cahots de la machine; mais insensiblement, tous ces bruits sans nom se confondirent dans ma tête, se mêlèrent, s'harmonisèrent, prirent un sens et, au plus profond [30 de ma pensée, au seul endroit qui veillât encore, j'assistai dès lors à un singulier concert . . .

C'était une grande symphonie dans un style grave et religieux. Les contrebasses ronflaient à pleine corde la première phrase de l'andante; les trombones flagellaient et jetaient leurs grands éclats de cuivre [35 sur le tonnerre sourd qui grondait sans intervalles. Je n'étais plus seulement auditeur; j'étais devenu chef d'orchestre. Il s'agissait bien de dormir maintenant! J'étais l'âme de tout, et l'âme vivante. En avant! plus d'attitude paresseuse. La baguette à la main: Bravo! Bravo! marquez la mesure. Et le hautbois maintenant! Bien, une gamme [40 vive qui parte comme une fusée. Bien, la fusée retombe en gerbe d'or. Ah! malheureux! Les violons qui traînent . . . Serrez donc! vos cordes ne vibrent pas, ne tressaillent pas, ne frémissent pas! Des notes, malheureux! une pluie de notes, des notes qui jaillissent comme l'étincelle électrique du bout de vos archets! . . . Piano, piano! mon [45 solo de violoncelle . . . Bien, bien gémi! . . . Encore! . . . Piano! . . . piano! la phrase meurt, meurt, meurt . . . Fortissimo! à moi toutes les voix! un enfer, un sabbat! Suivez la baguette; à droite, à gauche; que tout se déchire! . . . Tenez, tenez, des flammes rouges qui montent, des tonnerres, des sanglots qui se brisent dans les échos d'airain, [50 des âmes par milliers qui s'abîment, qui roulent en flocons d'étincelles . . . Le tam-tam! ah! bourreau de tam-tam.

Et je me penchais en avant comme le cavalier emporté par son cheval, criant, haletant, aiguillonnant, éperonnant, fou, tout à fait fou; car, je ne sais si j'éperonnais mon orchestre sans frein ou les quatre [55 misérables roues de la voiture; il me semblait que ma volonté pouvait la faire voler rapide comme une flèche, retentissante comme un trousseau de ferraille sur le pavé.

Silence! silence! Ah! je respire! . . . plus de ces cris d'enfer, de ces lamentations de damnés . . . l'air est pur, les petits oiseaux gazouil- [60 lent, les ruisseaux murmurent. Délicieuse clarté toute suave et toute sonore! les abeilles d'or font leur joyeuse musique dans le silence harmonieux; des buissons secouent leurs grosses touffes vertes, perlées de fine rosée et se couvrent en un instant de roses qui s'effeuillent en pluie odorante pour renaître plus riches et se suspendre aux [65 branches affaissées. Des milliers de petits anges s'échappent de leurs calices, se prennent par les mains et se déroulent en longues guirlandes qui ondoient dans le ciel. Le ciel flotte comme un rideau de soie sur la terre. Tout est azur et l'azur chatoie de paillettes éblouissantes . . . Giulietta! Giulietta! . . . C'est elle en longue robe blanche qui [70 s'avance dans la plaine, comme un petit nuage d'or, avant le jour, sur l'horizon. . . .

Sol dièse! Sol dièse! misérable! Ah! je suis perdu. Giulietta! tu as fait fuir ma Giulietta!

—A qui diable en avez-vous donc? me cria une voix tonnante. [75

—A qui j'en ai? . . . lui répondis-je avec fureur.

—Vous êtes seul dans la voiture et vous trouvez moyen de vous disputer?

Je demeurai confus, bouleversé;—c'était le conducteur qui venait de m'ouvrir la portière. Je descendis au milieu de la pluie, pestant [80 contre le mauvais temps, contre le sol dièse, contre Giulietta, contre moi-même et jurant bien de ne plus retourner chez la présidente avant les aubépines en fleurs.

(Extrait de *Soirée d'automne,* par Gérard de Nerval.)

Notes

1. **Nerval, Gérard de,** de son vrai nom Gérard Labrunie (1808-1855), est l'auteur d'œuvres très variées: poésies, récits de voyage, contes.
2. **Messageries:** maison où était établi le service de transport des voyageurs et des marchandises.
3. **Arrivé, monté:** je suis arrivé, je suis monté.

A. Questions sur le texte

1. Où se trouvait le narrateur ce soir-là?
2. Quelle distance devait-il parcourir pour arriver aux messageries?
3. Quel temps faisait-il ce soir-là?
4. Dans la description du deuxième paragraphe, quelle est la partie visuelle? la partie auditive?
5. Combien y avait-il de voyageurs dans la voiture?
6. A quoi le narrateur compare-t-il la voiture?
7. Quels bruits le voyageur entendait-il?
8. Comment se sentait-il tout d'abord?
9. Comment était la température dans la voiture?
10. Qu'est-ce que le narrateur essayait de trouver?
11. Sur quoi s'est-il étendu?
12. Comment était son sommeil?
13. Comment les bruits du vent, de la pluie et de la voiture se sont-ils transformés?

14. Quelle sorte de musique était produite par les contrebasses? les trombones?
15. Que devenait le narrateur?
16. Qu'est-ce qu'il tenait à la main?
17. A quoi compare-t-il la musique du hautbois?
18. Que veut-il obtenir des violons?
19. Quelle sorte de musique donne le solo de violoncelle?
20. Comment la musique change-t-elle brusquement?
21. A quoi le narrateur se compare-t-il?
22. Pourquoi le silence succède-t-il au tumulte?
23. Quelles visions passent dans l'esprit du narrateur?
24. Qu'est-ce qui fait fuir Giulietta?
25. Que dit le conducteur?
26. Quelle résolution prend le narrateur?
27. Ce conte est-il une étude psychologique ou une fantaisie?

B. Exercice de vocabulaire

Complétez les phrases suivantes:

1. Une lieue équivaut à quatre kilomètres; le narrateur devait donc parcourir ____ pour arriver aux messageries.
2. Un kilomètre équivaut à 0,621 «mile»; le narrateur devait donc parcourir un peu plus de ____ «mile».
3. Un synonyme de tapage est ____ ou ____.
4. Un coup de vent violent est une ____.
5. La pluie tombe violemment; elle tombe ____.
6. Vous ne pouvez pas entrer dans une voiture si la ____ n'est pas ouverte.
7. La voiture allait très vite; nous ____ le pavé.
8. Quand une vitre est légèrement fendue, on dit qu'elle est ____.
9. J'étais ____ par le vacarme.
10. Une ____ est un banc rembourré.
11. ____ est un synonyme de s'endormir.
12. Le plus grand des instruments à cordes est une ____.
13. Le ____ dirige l'orchestre à l'aide de sa ____.
14. En musique, la division de la durée en parties égales s'appelle la ____.
15. Le contraire de fortissimo, en musique, est ____.
16. Une sorte de grand tambour africain qu'on frappe avec les mains est un ____.

17. On appelle ____ des débris de métaux hors d'usage.
18. Pour arrêter une automobile, on se sert du ____.
19. On peut dire: contre qui êtes-vous en colère? ou: ____.
20. On dit: les oiseaux chantent; ou: les oiseaux ____.
21. Piquer avec l'éperon est ____.
22. Piquer avec l'aiguillon est ____.

C. Exercice de conversation

Posez les questions qui conviennent aux réponses suivantes:

1. Mais oui, merci. J'ai fait un très bon voyage.
2. J'ai voyagé en première classe.
3. J'ai pris mon billet au guichet de la gare.
4. J'ai demandé un aller et retour Paris Bordeaux.
5. Non, je n'ai pas pris de couchette.
6. Oui, j'ai retenu une place dans un coin.
7. Le train était bondé en seconde classe mais les premières étaient presque vides.
8. Non, le wagon n'était pas climatisé.
9. Non, il ne faisait pas trop chaud.
10. Le voyage a duré sept heures.
11. Je suis parti de Paris à 13 heures 10 et je suis arrivé à Bordeaux à 20 heures 12.
12. Non, le train n'avait pas de retard.
13. Oui, le contrôleur a demandé les billets.
14. Non, en France le contrôleur ne garde pas les billets; il se contente de les poinçonner.
15. J'ai regardé le paysage, j'ai lu un magazine et j'ai bavardé avec mes compagnons de voyage.
16. Nous avons parlé de la politique internationale.
17. Non, nous ne nous sommes pas disputés; nous étions du même avis.
18. J'avais mis mes valises dans le filet.
19. Non, je ne suis pas toujours resté à ma place. J'ai passé une partie du trajet debout dans le couloir.
20. Non, je ne suis pas fatigué.

D. Questions générales

1. Quels sont les orchestres de musique classique les plus connus aux États-Unis?
2. Quel est l'orchestre de musique populaire que vous préférez?

3. Quels sont les chefs d'orchestre les plus connus?
4. Dites tout ce que vous savez du jazz.
5. Donnez le nom du pianiste le plus connu des États-Unis; du violoniste; du guitariste.
6. Donnez les noms de quelques-uns des instruments d'un orchestre de musique classique; d'un orchestre de jazz.
7. Donnez le nom d'un chanteur d'opéra; d'une chanteuse.
8. Donnez le nom d'un chanteur populaire. Expliquez sa technique.
9. Qui est la chanteuse la plus populaire des États-Unis? Décrivez sa voix.
10. Quels bruits entendez-vous, en ce moment, dans cette salle de classe?
11. Quels bruits entendez-vous quand vous voyagez par le train? en avion? en auto?
12. Quels sont les moments dans la vie universitaire où les étudiants (étudiantes) font un vacarme effroyable?

E. Sujets de compositions écrites ou orales

1. Vous assistez à un concert.
2. Un ouragan. Ce que vous voyez, ce que vous entendez.
3. Pensées, rêves, visions suggérées par certains bruits.

Treizième leçon

Le médecin malgré lui

(Sganarelle est un bûcheron qui boit trop et bat sa femme. Pour se venger, celle-ci fait croire aux domestiques de Géronte que Sganarelle est un médecin célèbre. Dans cette scène, Sganarelle réussit à dissimuler son ignorance de la médecine grâce à sa faconde et aussi grâce à la crédulité de Géronte.) [5

Sganarelle; Géronte; Lucinde, sa fille; Jacqueline, servante.

SGANARELLE.—Est-ce là la malade?

GÉRONTE.—Oui, je n'ai qu'elle de fille, et j'aurais tous les regrets du monde si elle venait à mourir.

SGANARELLE.—Qu'elle s'en garde bien! Il ne faut pas qu'elle [10 meure sans l'ordonnance du médecin.

GÉRONTE.—Allons, un siège.

SGANARELLE.—Voilà une malade qui n'est pas tant dégoûtante, et je tiens qu'un homme bien sain s'en accommoderait assez.

(Lucinde se met à rire.) [15

GÉRONTE.—Vous l'avez fait rire, Monsieur.

SGANARELLE.—Tant mieux. Lorsque le médecin fait rire le malade, c'est le meilleur signe du monde. Eh bien, de quoi est-il question? Qu'avez-vous? Quel est le mal que vous sentez?

LUCINDE, faisant semblant de ne pas pouvoir parler.—Han, hi, [20 hom, han.

SGANARELLE.—Eh! que dites-vous?

LUCINDE, même jeu.—Han, hi, hom, han, han, hi, hom.

SGANARELLE.—Quoi?

LUCINDE.—Han, hi, hom. [25

SGANARELLE, imitant Lucinde.—Han, hi, hom, han, ha: Je ne vous entends point. Quel diable de langage est-ce là?

GÉRONTE.—Monsieur, c'est là sa maladie. Elle est devenue muette, sans que jusqu'ici on en ait pu savoir la cause; et c'est un accident qui a fait reculer son mariage. [30

SGANARELLE.—Et pourquoi?

GÉRONTE.—Celui qu'elle doit épouser veut attendre sa guérison pour conclure les choses.

SGANARELLE.—Et qui est ce sot-là qui ne veut pas que sa femme soit muette? Plût à Dieu que la mienne eût cette maladie! Je me [35 garderais bien de la vouloir guérir.

GÉRONTE.—Enfin, Monsieur, nous vous prions d'employer tous vos soins pour la soulager de son mal.

SGANARELLE.—Ah! ne vous mettez pas en peine. Dites-moi un peu: ce mal l'oppresse-t-il beaucoup? [40

GÉRONTE.—Oui, Monsieur.

SGANARELLE.—Tant mieux. Sent-elle de grandes douleurs?

GÉRONTE.—Fort grandes.

SGANARELLE.—C'est fort bien fait. *(Il se tourne vers Lucinde.)* Donnez-moi votre bras. Voilà un pouls qui marque que votre fille [45 est muette.

GÉRONTE.—Eh oui, Monsieur, c'est là son mal; vous l'avez trouvé du premier coup.

SGANARELLE, satisfait.—Ah, ah!

JACQUELINE.—Voyez comme il a deviné sa maladie! [50

SGANARELLE.—Nous autres grands médecins, nous connaissons d'abord les choses. Un ignorant aurait été embarrassé, et vous eût été dire: C'est ceci, c'est cela; mais moi, je touche au but du premier coup, et je vous apprends que votre fille est muette.

GÉRONTE.—Oui, mais je voudrais bien que vous me puissiez [55 dire d'où cela vient.

SGANARELLE.—Il n'est rien de plus aisé: cela vient de ce qu'elle a perdu la parole.

GÉRONTE.—Fort bien; mais la cause, s'il vous plaît, qui fait qu'elle a perdu la parole? [60

SGANARELLE.—Tous nos meilleurs auteurs vous diront que c'est l'empêchement de l'action de la langue.

GÉRONTE.—Mais encore, vos sentiments sur cet empêchement de l'action de sa langue?

SGANARELLE.—Aristote, là-dessus, dit . . . de fort belles choses. [65

GÉRONTE.—Je le crois.

SGANARELLE.—Ah! c'était un grand homme!

GÉRONTE.—Sans doute.

SGANARELLE.—Grand homme tout à fait: un homme qui était plus grand que moi de tout cela. *(Il lève le bras.)* Pour revenir donc [70 à notre raisonnement, je tiens que cet empêchement de l'action est causée par de certaines humeurs, qu'entre nous autres savants nous appelons humeurs peccantes; peccantes, c'est-à-dire . . . humeurs peccantes; d'autant que les vapeurs formées par les exhalaisons des influences qui s'élèvent dans la région des maladies, venant . . . [75 pour ainsi dire . . . à . . . Entendez-vous le latin?

GÉRONTE—En aucune façon.

SGANARELLE, feignant l'étonnement.—Vous n'entendez point le latin?

GÉRONTE.—En aucune façon.

SGANARELLE, avec assurance.—Cabricias arci thuram, cathalamus, singulariter. . . . [80

GÉRONTE.—Ah! que n'ai-je étudié!

SGANARELLE.—Or ces vapeurs dont je vous parle, venant à passer, du côté gauche, où est le foie, au côté droit, où est le cœur, il se trouve que le poumon, que nous appelons en latin armyan, ayant communication avec le cerveau, que nous nommons en grec nasmus, par le [85 moyen de la veine cave, que nous appelons en hébreu cubile, rencontre en son chemin lesdites vapeurs, qui remplissent les ventricules de l'omoplate; et parce que lesdites vapeurs—comprenez bien ce raisonnement, je vous prie—et parce que lesdites vapeurs ont une certaine [90 malignité . . . Écoutez bien ceci, je vous conjure.

GÉRONTE.—Oui.

SGANARELLE.—Ont une certaine malignité, qui est causée . . . Soyez attentif, s'il vous plaît.

GÉRONTE.—Je le suis. [95

SGANARELLE.—Qui est causée par l'âcreté des humeurs engendrées dans la concavité du diaphragme; il arrive que ces vapeurs . . . Ossabandus, nequeys, nequer, potarinum, quipsamilus. Voilà justement ce qui fait que votre fille est muette.

(Extrait du *Médecin malgré lui,* par Molière.)

Notes

1. Ce passage est tiré d'une farce de Molière: *Le médecin malgré lui.* Molière (1622-1673) est le plus grand auteur comique français. Dans ses comédies sérieuses: *L'Avare, Le Misanthrope, Tartuffe,* il attaque un vice de l'âme et montre les effets de ce vice sur la personnalité de celui qui en est victime et sur son entourage.

   Dans les farces comme *Le médecin malgré lui,* Molière cherche surtout à amuser les spectateurs.

2. **Humeur:** signifie ici la substance fluide d'un corps organisé comme le sang; humeur peccante, humeur malsaine.

A. Questions sur le texte

1. Dans quelle situation se trouve Sganarelle?
2. Comment Sganarelle montre-t-il tout de suite son ignorance et son outrecuidance?
3. Pourquoi Lucinde se met-elle à rire?
4. Comment Lucinde répond-elle aux questions de Sganarelle?
5. Qu'est-ce que Géronte explique à Sganarelle?
6. Que pense Sganarelle des maris qui ne veulent pas que leur femme soit muette?
7. Qu'est-ce que Lucinde ressent?
8. Comment Sganarelle découvre-t-il (ce qu'il savait déjà, grâce à Géronte) que Lucinde est muette?
9. Que montre la réplique de Géronte? («Vous l'avez trouvé du premier coup.»)
10. De quoi Sganarelle se vante-t-il?
11. Comment Sganarelle explique-t-il la maladie de Lucinde?
12. Comment Sganarelle cite-t-il Aristote?
13. Pourquoi Sganarelle demande-t-il à Géronte s'il comprend le latin?
14. Que fait Sganarelle quand il apprend que Géronte ne comprend pas le latin?
15. Est-ce que Sganarelle a raison quand il dit que le cœur est à droite et le foie à gauche?
16. Comment Sganarelle montre-t-il son ignorance mais aussi son aplomb et son adresse dans la réplique: «Or ces vapeurs . . . »
17. Quelles sont les répliques qui vous ont amusé dans cet extrait?
18. La satire de Molière est-elle dirigée contre la médecine ou contre les médecins?
19. Comment Molière se moque-t-il de la crédulité de Géronte?
20. *Le médecin malgré lui* est une farce. D'après ce passage, expliquez ce que c'est qu'une farce.

B. Exercice de vocabulaire

1. *De nos jours nous ne dirions pas:* on en ait pu savoir la cause; *mais:* on ait pu en savoir la cause. *Dans les phrases suivantes mettez le pronom à la place qu'il occuperait aujourd'hui:*
   a. Je me garderais bien de la vouloir guérir.

b. vous eût été dire
c. que vous me puissiez dire

2. *Quelle est la différence entre* un grand homme *et* un homme grand?
3. *Trouvez dans le texte le contraire de:* avancer, faire pleurer, bien malade, un savant, mécontent.
4. *Trouvez dans le texte des expressions équivalentes à:*
   a. qu'elle n'en fasse rien
   b. Quelle sorte de langage est-ce là?
   c. Il faut attendre qu'elle soit guérie.
   d. Ne vous tracassez pas.
   e. je ferais bien attention à
   f. Qui est cet imbécile?
   g. Son mariage a été repoussé.
   h. Il s'en arrangerait assez.
   i. De quoi s'agit-il?
   j. rencontre sur sa route.

C. Exercice de conversation

Louis et le dentiste

Suppléez les répliques de Gaston:

GASTON. ______

LOUIS.—Ce n'est pas étonnant que j'aie mauvaise mine; je sors de chez le dentiste.

GASTON. ______

LOUIS.—Comme tu le dis si bien, ce n'est jamais drôle d'aller chez le dentiste. Pourtant, j'y suis allé sans la moindre appréhension; je comptais me faire nettoyer les dents, rien d'autre.

GASTON. ______

LOUIS.—Tu l'as deviné, le dentiste a découvert des cavités; au nombre de cinq.

GASTON. ______

LOUIS.—D'abord, le dentiste en a plombé deux sans que je ressente la moindre douleur. Mais, la troisième . . . aïe . . .

GASTON. ______

LOUIS.—Oui, ça m'a fait très mal.

GASTON. ______

LOUIS.—Le dentiste me l'avait proposé. Mais je déteste les effets d'une piqûre à la novacaïne . . . et je ne croyais pas que ça me ferait si mal. Bien entendu, j'ai accepté une piqûre pour ce qui restait à faire.

GASTON. ______

LOUIS.—Non, je n'ai plus rien senti; ça allait tout seul. Je croyais en avoir fini quand voilà mon dentiste qui m'annonce qu'une de mes molaires demandait à me quitter.

GASTON. ______

LOUIS.—J'étais non seulement ennuyé mais furieux. Enfin, il a bien fallu en passer par là.

GASTON. ______

LOUIS.—Absolument rien. Mais maintenant, j'ai encore la mâchoire insensibilisée, ce qui me fait un drôle d'effet. Et puis, cet espace vide m'énerve. Et moi qui me suis toujours moqué des gens qui avaient des dents fausses!

GASTON. ______

LOUIS.—Je sais bien que ça arrive à beaucoup de gens mais ce n'est pas une consolation.

D. Questions générales

1. Décrivez l'infirmerie de votre université.
2. Comment prend-on soin de la santé des étudiants dans une université?
3. Citez quelques mesures d'hygiène publique.
4. Donnez le nom de deux maladies autrefois mortelles et maintenant guérissables grâce au progrès de la médecine.
5. Pourquoi la psychiatrie joue-t-elle un rôle important dans la vie moderne?
6. Un écrivain contemporain, Paul Guth, a dit: «Un psychanaliste est un monsieur qu'on paie très cher pour qu'il nous pose des questions qu'une femme nous pose gratuitement.» Cette boutade vous paraît-elle absurde ou y voyez-vous une part de vérité?
7. Que savez-vous de Molière?

E. Sujets de compositions écrites ou orales

1. Ce que je pense de la psychiatrie.
2. Une visite au médecin.

Quatorzième leçon

Deux lettres de madame de Sévigné

(Lettre à madame de Grignan, 5 février 1674.)

Il y a aujourd'hui bien des années, ma fille, qu'il vint au monde une créature destinée à vous aimer préférablement à toutes choses; je prie votre imagination de n'aller ni à droite ni a gauche; cet homme-là, Sire, c'était moi-même.

Il y eut hier trois ans que j'eus une des plus sensibles douleurs [5 de ma vie. Vous partîtes pour la Provence, où vous êtes encore; ma lettre serait longue, si je voulais vous expliquer toutes les amertumes que je sentis, et que j'ai senties depuis en conséquence de cette première. Mais revenons: je n'ai point reçu de vos lettres aujourd'hui, je ne sais s'il m'en viendra; je ne le crois pas, il est trop tard: j'en [10 attendais cependant avec impatience; je voulais apprendre votre départ d'Aix, afin de pouvoir supputer un peu juste votre retour. Je ne pense qu'à vous et à votre voyage: si je reçois de vos lettres, après avoir envoyé celle-ci, soyez en repos; je ferai assurément tout ce que vous me manderez. . . . [15

Le père Bourdaloue fit un sermon le jour de Notre-Dame, qui transporta tout le monde; il était d'une force à faire trembler les courtisans; jamais prédicateur évangélique n'a prêché si hautement ni si généreusement les vertus chrétiennes: il était question de faire voir que toute puissance doit être soumise à la loi, à l'exemple de Notre- [20 Seigneur qui fut présenté au temple; enfin, ma fille, cela fut porté au point de la plus haute perfection, et certains endroits furent poussés comme les aurait poussés l'apôtre Saint-Paul.

L'archevêque de Reims revenait hier fort vite de Saint-Germain, c'était comme un tourbillon; il croit bien être grand seigneur; [25 mais ses gens le croient encore plus que lui. Ils passaient au travers de Nanterre, tra, tra, tra; ils rencontrent un homme à cheval: ce pauvre homme veut se ranger; son cheval ne veut pas; et enfin le carrosse et les six chevaux renversent le pauvre homme et son cheval, et passent par-dessus, et si bien par-dessus que le carrosse en fut versé et [30 renversé: en même temps l'homme et le cheval, au lieu de s'amuser à être roués et estropiés, se relèvent miraculeusement, remontent l'un sur l'autre, et s'enfuient, et courent encore, pendant que les laquais de l'archevêque et le cocher, et l'archevêque même se mettent à crier: «Arrête, arrête ce coquin, qu'on lui donne cent coups.» L'arche- [35 vêque, en racontant ceci, disait: «Si j'avais tenu ce maraud-là, je lui aurais rompu les bras et coupé les oreilles.»

Adieu, ma très chère et très aimable; je ne puis vous dire à quel point je vous souhaite. Je vous adresse encore cette lettre à Lyon, c'est la troisième; il me semble que vous devez y être ou jamais. [40

(Extrait d'une autre lettre à madame de Grignan, 19 avril 1690.)

Je reviens encore à vous ma bonne, pour vous dire que si vous avez envie de savoir, en détail, ce que c'est qu'un printemps, il faut venir à moi. Je n'en connaissais moi-même que la superficie; j'en examine cette année jusqu'aux premiers petits commencements. Que [45 pensez-vous donc que ce soit que la couleur des arbres depuis huit jours? répondez. Vous allez dire: «Du vert.» Point du tout, c'est du rouge. Ce sont de petits boutons, tout prêts à partir, qui font un vrai rouge; et puis ils poussent tous une petite feuille, et comme c'est inégalement, cela fait un mélange trop joli de vert et de rouge. [50 Nous couvons tout cela des yeux; nous parions de grosses sommes, — mais c'est à ne jamais payer, — que ce bout d'allée sera tout vert dans deux heures; on dit que non: on parie. Les charmes ont leur manière, les hêtres une autre. Enfin, je sais sur cela tout ce que l'on peut savoir.

(Extraits des *Lettres de Madame de Sévigné*.) [55

Notes

1. **Rabutin-Chantal, Marie de, marquise de Sévigné (1626-1696),** est célèbre par ses lettres adressées à sa fille et à ses amis. Au dix-septième et au dix-huitième siècle, les lettres remplaçaient les journaux, la radio et la télévision. Les lettres de madame de Sévigné étaient donc, pour sa fille qui habitait la Provence et pour ses amis loin de Versailles, une sorte de gazette qui apportaient des nouvelles de la cour, de la vie de société, parfois même un récit d'événements historiques.
2. **«Cet homme-là, Sire, c'était moi-même»:** Cette citation est tirée du poème de Marot: *Epître au roi*. Marot, Clément (1496-1544), était valet de chambre de François Ier et poète de cour.

3. **Bourdaloue, Louis, (1632-1704),** prédicateur jésuite très apprécié par ses contemporains. Son système consistait à opposer les leçons de l'Évangile à l'existence que menaient les courtisans.
4. **Reims:** ville de l'est de la France. La cathédrale de Reims est une des plus belles de France. La ville est aussi connue pour la préparation et le commerce du vin de Champagne.
5. **Saint-Germain:** ville de la région parisienne.

A. Questions sur le texte

1. A qui madame de Sévigné écrit-elle?
2. Que marque la date 5 février 1674 pour madame de Sévigné?
3. Quelle a été une des grandes douleurs de la vie de madame de Sévigné?
4. Depuis combien de temps est-elle séparée de sa fille?
5. Pourquoi aurait-elle voulu savoir à quelle date sa fille avait quitté Aix?
6. Qui était le père Bourdaloue?
7. Quelle sorte de sermon a-t-il prêché?
8. Quel était le sujet du sermon?
9. A qui madame de Sévigné compare-t-elle Bourdaloue?
10. Qu'est-ce que l'archevêque de Reims s'imaginait être?
11. Qu'est-ce que ses domestiques croyaient?
12. Comment traversait-il Nanterre?
13. Qui se trouvait sur son chemin?
14. Qu'est-ce que le pauvre homme a essayé de faire?
15. Qu'est-ce qui est arrivé au carrosse et aux six chevaux?
16. Qu'est-ce qui est arrivé à l'homme et à son cheval?
17. Qu'est-ce que les laquais, le cocher et l'archevêque criaient?
18. Que disait l'archevêque quand il racontait cette histoire?
19. Comment cette anecdote est-elle racontée?
20. Que montre madame de Sévigné dans le dernier paragraphe de sa lettre?
21. Dans le deuxième extrait, qu'est-ce que madame de Sévigné nous dit qu'elle a appris à connaître?
22. Comment les feuilles poussent-elles?
23. Quels sont les paris que font madame de Sévigné et ses amis?
24. Dans la liste suivante, quels sont les adjectifs qui conviennent au style de madame de Sévigné: lyrique, éloquent, enjoué, spirituel, naturel, poétique, scientifique, pittoresque, spontané, travaillé?
25. Analysez le comique dans l'incident de l'archevêque.

B. Exercice de vocabulaire

1. *Donnez des synonymes de:*
Beaucoup de; un être; une grande douleur; calculer; ne vous faites pas de soucis; ils étaient enthousiastes; ce maraud; vous désirez savoir; croître; brise; la surface; il est né; que nous ne paierons jamais; de préférence.
2. *Donnez des antonymes de:*
L'arrivée; la faiblesse; détester; le vice; s'ennuyer; très lentement; la fin; il est tôt; avec patience; la plus basse; passent par-dessous; tomber; une petite somme.
3. *Donnez les noms de:*
   a. cinq arbres qui fleurissent au printemps.
   b. cinq arbres que l'on trouve dans les forêts.
   c. cinq fleurs.
4. *Qu'est-ce que c'est que:*
   a. un courtisan?
   b. un archevêque?
   c. un laquais?

C. Exercice de conversation

Vous demandez à un (une) camarade qui vient de faire une promenade dans un parc:

1. comment étaient le ciel, les arbres, le gazon, les allés.
2. quels animaux il (elle) a vus dans le parc.
3. ce que faisaient les enfants et les adultes dans le parc.
4. de décrire les fleurs qu'il (elle) a vues dans le parc.
5. de décrire les personnes qui faisaient de l'équitation sur l'allée cavalière.
6. ce qu'on fait pour avoir un gazon toujours vert.
7. ce qu'on fait pour entretenir le parc.
8. en quelle saison et à quel moment de la journée il est agréable de faire des promenades dans le parc.
9. en quelle saison on trouve des roses dans le parc.
10. en quelle saison il y a de la glace sur les pièces d'eau.
11. ce qui vous arrive si on cueille des fleurs dans le parc.
12. quels jours de la semaine il y a le plus de promeneurs dans le parc.
13. où se trouvent les courts de tennis.
14. quelles parties du parc sont réservées aux piétons.

D. Questions générales

1. Pourquoi les lettres occupaient-elles une place importante dans la vie du dix-septième siècle?
2. Écrire des lettres était autrefois un art; en est-il de même aujourd'hui? Est-ce qu'il vous arrive d'écrire une lettre, non pour des raisons utilitaires, mais pour amuser ou intéresser votre correspondant? Vous arrive-t-il de recevoir des lettres que vous trouvez bien tournées?
3. Comparez une lettre et un coup de téléphone comme moyen de communication.
4. D'après les deux extraits de lettres que vous avez lus, quels genres d'articles madame de Sévigné pourrait-elle écrire si elle vivait de nos jours? Quels journaux ou magazines pourraient les publier?
5. Parmi les écrivains ou hommes politiques américains, quels sont ceux qui ont laissé des lettres célèbres?
6. Pourquoi était-il important au dix-septième siècle de faire comprendre aux courtisans que toute puissance doit être soumise à la loi?
7. Citez un prédicateur américain qui transporte ses auditeurs.
8. Parmi les conférences que vous avez entendues, citez-en une qui vous a intéressé (intéressée). Quel en était le sujet? Comment l'orateur a-t-il retenu votre attention?

E. Sujets de compositions écrites ou orales

1. Impressions de printemps.
2. Mes pensées pendant un sermon.

Quinzième leçon

A propos de l'humanité

Extraits des *Pensées* (1670) de Blaise Pascal:

162. Qui voudra connaître à plein la vanité de l'homme n'a qu'à considérer les causes et les effets de l'amour. La cause en est un je ne sais quoi (Corneille) et les effets en sont effroyables. Ce je ne sais quoi, si peu de chose qu'on ne peut le reconnaître, remue toute la [5 terre, les princes, les armées, le monde entier.

277. Le cœur a ses raisons que la raison ne connaît pas.

347. L'homme n'est qu'un roseau, le plus faible de la nature; mais c'est un roseau pensant. Il ne faut pas que l'univers entier s'arme pour l'écraser: une vapeur, une goutte d'eau, suffit pour le tuer. Mais [10 quand l'univers l'écraserait, l'homme serait encore plus noble que ce qui le tue, parce qu'il sait qu'il meurt, et l'avantage que l'univers a sur lui, l'univers n'en sait rien.

Toute notre dignité consiste donc en la pensée. Travaillons donc à bien penser: voilà le principe de la morale. [15

Extraits des *Maximes* (1665) de La Rochefoucauld:

19. Nous avons tous assez de force pour supporter les maux d'autrui.

49. On n'est jamais si heureux ni si malheureux qu'on s'imagine.

75. L'amour, aussi bien que le feu, ne peut subsister sans un mouvement continuel, et il cesse de vivre dès qu'il cesse d'espérer [20 ou de craindre.

89. Tout le monde se plaint de sa mémoire, et personne ne se plaint de son jugement.

102. L'esprit est toujours la dupe du cœur.

147. Peu de gens sont assez sages pour préférer le blâme qui [25 leur est utile à la louange qui les trahit.

218. L'hypocrisie est un hommage que le vice rend à la vertu.

276. L'absence diminue les médiocres passions, et augmente les grandes, comme le vent éteint les bougies et allume le feu.

294. Nous aimons toujours ceux qui nous admirent et pas [30
toujours ceux que nous admirons.

295. Quelque bien qu'on nous dise de nous, on ne nous apprend rien de nouveau.

347. Nous ne trouvons guère de gens de bon sens que ceux qui sont de notre avis. [35

496. Les querelles ne dureraient pas longtemps si le tort n'était que d'un côté.

Extraits des *Caractères* (1688) de La Bruyère:

17. Un bon auteur, et qui écrit avec soin, éprouve souvent que [40
l'expression qu'il cherchait depuis longtemps sans la connaître, et qu'il a enfin trouvée, est celle qui était la plus simple, la plus naturelle, qui semblait devoir se présenter d'abord et sans effort . . .

23. Être avec des gens qu'on aime, cela suffit; rêver, leur parler, ne leur parler point, penser à eux, penser à des choses plus indif- [45
férentes, mais auprès d'eux, tout est égal.

53. Les femmes sont extrêmes: elles sont meilleures ou pires que les hommes.

Notes

1. **Pascal:** voir page 80.
2. **La Rochefoucauld (1613-1680),** moraliste, auteur des *Maximes* (1665). Sous une forme frappante et concise, les *Maximes* étudient les motifs des actions humaines.
3. **La Bruyère:** voir page 104.

A. Questions sur le texte

Pascal

1. Qu'est-ce que l'amour d'après Corneille?
2. Quels sont les effets de l'amour d'après Pascal?
3. Expliquez ce que veut dire Pascal dans la pensée 277.
4. Que veut dire Pascal quand il compare l'homme à un roseau?
5. En quoi consiste la supériorité de l'homme sur les forces de l'univers?
6. En quoi consiste la dignité de l'homme?
7. Quel est le principe de la morale?

La Rochefoucauld

8. Quel défaut de l'homme La Rochefoucauld attaque-t-il dans la maxime 19?
9. Si l'homme ne supportait pas plus facilement les maux d'autrui que les siens, la vie serait-elle possible? La Rochefoucauld se montre-t-il ici idéaliste ou pessimiste?
10. La maxime 49 vous paraît-elle vraie ou fausse?
11. A quoi La Rochefoucauld compare-t-il l'amour?
12. De quel espoir et de quelle crainte La Rochefoucauld veut-il parler dans la maxime 75?
13. Pourquoi se plaint-on volontiers de sa mémoire?
14. Pourquoi ne nous plaignons-nous jamais de notre jugement?
15. Vous remarquez que la maxime 102 exprime la même idée que la pensée 277 de Pascal. Laquelle de ces deux phrases vous paraît le mieux exprimer l'idée?
16. Expliquez la maxime 218 par un exemple.
17. A quoi La Rochefoucauld compare-t-il une médiocre passion? une grande passion? Cette maxime est-elle, à votre avis, vraie ou fausse?
18. A votre avis, La Rochefoucauld se montre-t-il cynique ou exprime-t-il une vérité dans la maxime 294?
19. Que signifie la maxime 295? Quel défaut La Rochefoucauld attaque-t-il dans cette maxime?
20. Est-il possible de trouver que des gens qui ne sont pas de notre avis ont du bon sens?
21. La maxime 496 peut-elle s'appliquer aux relations internationales?

La Bruyère

22. Quelle qualité de style La Bruyère préconise-t-il dans la pensée 17?
23. Comment La Bruyère voit-il l'amitié?
24. Des trois auteurs, lequel vous paraît le plus humain? le plus profond? le plus pessimiste?

B. Exercice de vocabulaire

Complétez les phrases suivantes:

1. Voilà l'effet de son action. En avait-il considéré ____?
2. Il est difficile d'expliquer en quoi consiste son charme; c'est un ____ qui lui attire toutes les sympathies.
3. Un synonyme de se figurer est s' ____.
4. Un synonyme d'exister est ____.

5. Il ne dit et ne fait que des sottises; il n'a aucun ____.
6. Le contraire de «beaucoup de» est ____.
7. Il est d'accord avec moi; il est de ____.
8. Elle m'a fait beaucoup de compliments; mais je ne crois pas à ses ____ car elle n'est pas sincère.
9. Le contraire de diminuer est ____.
10. Elle fait tout son travail facilement, sans ____.
11. Le professeur donne de bonnes notes à ____ qui travaillent.
12. Ce n'est pas inutile; c'est, au contraire, très ____.
13. C'est un traître; il a ____ son pays.
14. L'____ est un vice qui consiste à affecter une vertu, un sentiment qu'on n'a pas.
15. Il se rappelle tout ce qu'on lui dit; il a une excellente ____.
16. Il fait sombre ici; ____ l'électricité, s'il vous plaît.
17. Le moindre blâme ____ à le décourager.
18. Vous en savez autant que moi sur ce sujet; je ne peux rien vous apprendre de ____.
19. ____ douleur qu'elle éprouve, elle ne se plaint jamais.
20. Elle est insupportable; je ne peux plus ____ ses mauvaises manières.

C. Exercice de conversation

Suppléez les répliques de Lucienne:

GEORGES. — Je vais t'annoncer une nouvelle extraordinaire.

LUCIENNE. ____

GEORGES. — Je te la donne en mille.

LUCIENNE. ____

GEORGES. — Je ne vais pas te faire languir. Je vais te dire la nouvelle tout de suite: Antoinette se marie.

LUCIENNE. ____

GEORGES. — Mais si, c'est possible. C'est même certain.

LUCIENNE. ____

GEORGES. — Avec Gilbert Darcourt.

LUCIENNE. ____

GEORGES. — Un type très bien. Il est pilote d'essai.

LUCIENNE. ____

GEORGES. — Ils ont fait connaissance chez moi, à cette petite fête à laquelle tu n'as pas pu assister. Je présente Gilbert à Antoinette. Les voilà qui se contemplent, l'air un peu bébête. Ils ne se sont pas quittés de la soirée.

LUCIENNE. ______

GEORGES. — En effet, Antoinette n'a que dix-sept ans et Gilbert vingt-deux. Les parents d'Antoinette trouvaient qu'elle était trop jeune, que Gilbert avait un métier dangereux. Antoinette a beaucoup pleuré, a fait la grève de la faim . . . Les parents ont fini par céder et me voilà garçon d'honneur.

LUCIENNE. ______

GEORGES. — Le 10 juin. Cette histoire me rappelle qu'il y a longtemps que nous nous connaissons, toi et moi; que nous nous entendons très bien et que peut-être . . .

LUCIENNE. ______

GEORGES, mécontent. — C'est tout ce que tu trouves à me dire.

Finissez le dialogue de la façon qui vous plaira.

D. Questions générales

1. Quel rôle joue la vanité dans l'existence d'un étudiant? Pouvez-vous citer des cas où la vanité aide au développement intellectuel? D'autres cas où la vanité est destructive?
2. Trouvez-vous que La Rochefoucauld exagère quand il dit que l'amour-propre (amour-propre signifie ici amour de soi-même) est à la base de toutes nos actions?
3. Dans la maxime 147, de quelle sorte de louange et de quelle sorte de blâme La Rochefoucauld veut-il parler?
4. Avez-vous lu dans des romans des analyses de l'amour qui justifient ce que dit La Rochefoucauld dans la maxime 75?
5. Pouvez-vous citer des cas, dans l'histoire, où l'amour a eu une influence sur la politique?
6. Avez-vous une bonne mémoire? Est-il possible d'améliorer sa mémoire? Citez des cas où votre mémoire vous a bien servi; d'autres cas où elle vous a abandonné.
7. Pascal dit qu'il faut travailler à mieux penser; parmi vos études, quels sont les sujets qui vous aident à mieux penser?
8. Dans les maximes et les pensées avez-vous trouvé des remarques qui soient en contradiction avec la psychologie moderne?

E. Sujets de compositions écrites ou orales

1. Un dialogue entre un pessimiste et un optimiste.
2. Maintenant que vous avez fini ce livre, récapitulez ce qu'il vous a appris.

VOCABULAIRE

This vocabulary is intended to be complete, except for recognizable cognates and words listed as *1a* in Landry's *Graded French Word and Idiom Book* (Heath, 1938).

à to, to the; at; in; **— partir de** from; **— peine** hardly
abaisser to lower, pull down
abasourdi bewildered
abattre to knock down
abeille *f.* bee
s'abîmer to be swallowed up; to be destroyed
abonnement *m.* subscription
accoldade *f.* embrace
accommoder to prepare; **s'— de** to be pleased with
accord *m.* agreement; **être d'—** to agree; **d'—** yes, of course
accueil *m.* welcome
accueillir to welcome
acéré sharp
achat *m.* purchase; **— à tempérament** purchase on the instalment plan
acheter to buy
acheteur *m.* (*f.* **acheteuse**) buyer
âcreté *f.* sourness
activité *f.* activity; **—s dirigées** school projects
actualité *f.* current event; news of the day
addition *f.* check (*in a restaurant*)
adieu *m.* farewell
admis admitted; **a été —** has passed (*an exam*)
adresse *f.* skill
s'adresser to speak
affairé busy
affaissé bent down
s'affaisser to collapse
affamé (*f.* **affamée**) hungry; *noun* hungry person
affolant distracting
affolé frantic
agacé annoyed
âge *m.* age; **d'un certain —** middle-aged, elderly
agent *m.* agent; **— de police** policeman
agilité *f.* nimbleness
agir to act; **s'— de** to be about; to be a question of
agneau, —x *m.* lamb; **côtelette d'—** lamb chop
agréer to accept
aide *f.* help; **venir en —** to help
aider to help
aïeux *m. pl.* ancestors
aiguille *f.* needle
aiguillonnant goading
aile *f.* wing
aimable nice, charming
aîné oldest
air *m.* air; appearance; **au grand —** in the open; **baptême de l'—** first trip in a plane; **de grands —s** pride; **en plein —** in the open
airain *m.* brass
aire *f.* area; **— de vent** point of compass
aisance *f.* small fortune
aise *f.* ease; **être —** to be happy, pleased
ajusté fitted
alentours *m. pl.* neighborhood
aliment *m.* food
allée *f.* path; **— cavalière** bridle path
aller to go; to suit, fit
allumer to light; **s'—** to light up
allure *f.* pace; speed
alpinisme *m.* mountain climbing
alors then; at the time
amande *f.* almond
améliorer to improve
amener to bring
amertume *f.* bitterness; sorrow
ameublement *m.* furniture
amicalement friendly; **bien —** sincerely yours
amoureux, —se in love
s'amuser to have a good time
an *m.* year; **nouvel —** new year's day
ananas *m.* pineapple
âne *m.* donkey
anéanti dumbfounded
anglais English
animateur *m.* (*f.* **animatrice**) adviser
animation *f.* liveliness
animé animated; **bande —e** cartoon
annuaire *m.* phone book
apercevoir to notice; **s'—** to realize
aperçu *see* **apercevoir**
aplomb *m.* assurance, impudence
appareil *m.* apparatus
apprêter to prepare; to cook
âprement harshly
après after; **d'—** from, according to

après-midi *m.* afternoon
aquarelle *f.* water color
araignée *f.* spider
arbitre *m.* referee, arbitrator
arche *m.* ark; **— de Noé** Noah's ark
archet *m.* bow
archevêque *m.* archbishop
argenté rich
argot *m.* slang
armoire *f.* closet; **— à linge** linen closet
arpenter to measure
arrière *m.* back; **en —** backwards
arriver to arrive; to happen; to succeed; **— à quelque chose** to get somewhere
article *m.* article, item
ascenseur *m.* elevator
assiette *f.* plate
assister à to be present at; to witness
assorti matching
assoupir to put to sleep
assourdissant deafening
assurance *f.* insurance
assuré bold, impudent
astre *m.* star
âtre *m.* fireplace
attendu que considering that
attente *f.* waiting
attirer to attract
au revoir good-by
aubépine *f.* hawthorn
audace *f.* boldness; **avoir une certaine —** to be rather bold
augmenter to increase
aumône *f.* alms
auquel, à laquelle, auxquels, auxquelles to whom, to which
auprès de near
ausculter to examine, sound
autant as much as, as many as; **— dire** might as well say
auteur *m.* author
auto-stop *m.* hitchhiking
autour around
autre other
autrefois formerly; of long ago
autrement otherwise; **— dit** in other words
autruche *f.* ostrich; **avoir un estomac d'—** to digest anything
s'attarder to linger
avaler to swallow
avant before; **en —** forward, march
avare *m.* miser
aveu *m.* confession
aveugle blind
aveugler to blind, dazzle
avion *m.* airplane; **— à réaction** jet plane
avis *m.* advice, opinion
s'aviver to become more vivid
avocat *m.* (*f.* **avocate**) lawyer
avoir to have; **en — à** to hold a grudge against; **— envie de** to wish to, to feel like; **— des airs de tigre** to look like a tiger; **— du mal** to have trouble
avouer to admit

bachot *m.* *see note 1, page 9*
bachelier *m.* (*f.* **bachelière**) *student who has obtained his "bachot" from a "lycée"*
baguette *f.* baton
bâillement *m.* yawn
bain *m.* bath
baisser to lower, pull down
bal *m.* ball, dance
balayer to sweep
balbutier to stammer
ballade *f.* walk, hike, trip
bancal bandy-legged
bande *f.* gang; reel (*of film*); strip; **— animée** cartoon
banlieue *f.* suburbs
banquette *f.* seat, bench
barbe *f.* beard
barbier *m.* barber
barbu *m.* bearded one
bariolé of many colors
baroque odd, strange
basse *f.* saxhorn
bataille *f.* battle
bateau, —x *m.* boat; **— à voile** sailboat
bâtiment *m.* building
bâtir to build
batterie *f.* battery; **— de cuisine** kitchen utensils
battre to beat; to hit; **— la campagne** to be delirious
bavarder to chat
bébête silly
bedonner to acquire a paunch
belle-sœur *f.* sister-in-law

bénéfice *m.* profit
bercé rocked
besogne *f.* chore, work
besoin *m.* need; **avoir — de** to need
bestiaux *m. pl.* cattle
bête *adj.* stupid
beurre *m.* butter
bidon *m.* can, drum (*for oil, gasoline*)
bien *m.* property
bien very, well; **— des** many; **tant — que mal** somehow
bien entendu of course
bière *f.* beer
bijou, —x *m.* jewel; **—x fantaisie** costume jewelry
billet *m.* ticket; banknote; short letter; **— de chemin de fer** railroad ticket
biréacteur *m.* twin-jet plane
blesser to hurt, wound
bœuf *m.* beef, ox
bohémien *m.* (*f.* **bohémienne**) gypsy
boîte *f.* box; **— de conserves** can of food; **— de nuit** night club
bon, —ne good, kind, dear; **cinq —s kilomètres** a little more than five kilometers
bon! all right
bond *m.* jump
bondé crowded
bondir to leap, jump
bonheur *m.* happiness; **au petit —** at random
bonhomie *f.* good nature, simplicity
bonne *f.* maid
bonnet *m.* cap, headdress
borgne one-eyed
bosse *f.* hump, hunch
bouche *f.* mouth
boucher *m.* (*f.* **bouchère**) butcher
boucle *f.* buckle; **— d'oreille** earring
bougie *f.* candle
bougonner to grumble
boulanger *m.* (*f.* **boulangère**) baker
bouleversé upset
bouquiniste *m.* second-hand bookseller
bourdonnement *m.* buzzing
bourg *m.* small town
bourgeois *m.* middle-class person
bourgeon *m.* bud
bourse *f.* scholarship; purse
bourreau *m.* tormentor
bousculer to jostle
boutade *f.* sally; wisecrack
bouton *m.* knob; bud
brandir to brandish
brasse *f.* breast stroke
brasserie *f.* café, restaurant
Bretagne *f.* Brittany
breton, —ne from Brittany
brevet *m.* certificate
brisé broken
briser to break
brodé embroidered
bronzé tanned
se bronzer to get a tan
brouillé scrambled; **teint —** muddy complexion
broussailles *f. pl.* brush; **sourcil en —** bushy eyebrows
bru *f.* daughter-in-law
brûler to burn; **— le pavé** to dash along at full speed
brun brown
bruyant noisy
bûcheron *m.* woodcutter
buffet *m.* sideboard
buisson *m.* bush, thicket
bureau *m.* desk, office
but *m.* purpose, goal
bu *see* **boire**

ça *contraction of* **cela** this, that; **ça et là** here and there; **comme —** in this way
ça va all right
cabinet *m.* small room, study
cadeau, —x *m.* gift
cadran *m.* dial
cagneux, —se knock-kneed
cahot *m.* jolt
calculer to figure, compute
calepin *m.* notebook
calice *m.* flower cup
calleux, —se horny
camarade friend
campanile *f.* bell tower
canard *m.* duck
caoutchouc *m.* rubber
car *m.* bus
caractère *m.* disposition
carafon *m.* small decanter
carré square

carreau, —x *m.* glass pane
carrière *f.* career
carrosse *m.* coach
carte *f.* card, menu; **— d'identité** identity card
cas *m.* case; **en tout —** at any rate
caser to put away
casier *m.* rack, set of pigeon holes
cassé broken
casser to break
casserole *f.* pan
cassoulet *m.* dish of meat and beans
catch *m.* wrestling
cauchemar *m.* nightmare
causer to chat
cavalier *m.* (*f.* **cavalière**) horseman, horsewoman; gentleman; **allée cavalière** bridle path
cave *f.* cellar
cave hollow; **veine —** vena cava
caveau, —x *m.* vault
céder to give up, yield
célèbre famous
célibataire *m.* bachelor
censé: être — to be supposed to
centaine *f.* about one hundred
certain *before noun:* some; *after noun:* sure, positive; **d'un — âge** middle-aged, elderly
certes certainly
cerveau, —x *m.* mind, brain
chagrin *m.* sorrow; *adj.* bitter
champ *m.* field
chance *f.* luck; **coup de —** stroke of luck
chapelure *f.* bread crumb
charcutier *m.* (*f.* **charcutière**) pork butcher
charme *m.* (*type of*) birch tree
chasse *f.* hunt
chasser to hunt
chassis *m.* frame
château, —x *m.* castle; **— en Espagne** castle in the air
châtain auburn
chatoyer to glisten
chaud hot, warm; **il fait —** it is warm
chauffage *m.* heating; **— central** central heating
chauffer to heat, warm
chausser to wear shoes of a certain size
chaussette *f.* sock
chausseur *m.* shoe merchant
chaussure *f.* shoe
chauve bald
chef *m.* chief, head; **— d'orchestre** band, orchestra leader
chemin *m.* road; **— de fer** railroad
cheminée *f.* fireplace
chemise *f.* shirt; **— de nuit** night gown
chemisier *m.* shirt dress
chèque *m.* check; **— de voyage** travelers check
chère *f.* fare; **faire bonne —** to live well
cheval, —aux *m.* horse; **fer à —** horseshoe; **— de labour** farm horse
chevelure *f.* hair
cheveu, —x *m.* hair
cheville *f.* ankle
chic smart; "swell"
chien *m.* (*f.* **chienne**) dog
chômage *m.* unemployment
chorale *f.* glee club
chouette *f.* owl
chou-fleur *m.* cauliflower
ci-joint included
cinéaste working for the movies
cinquantaine *f.* about fifty
cirer to wax; **toile cirée** oil cloth
cirque *m.* circus
citer to quote, name
citron *m.* lemon; **— pressé** lemonade
citrouille *f.* pumpkin
clamer to shout
claquement *m.* clapping
clef *f.* key; **— de sol** key of G
climatisé air-conditioned
cliquetis *m.* clatter, rattling
coalisé united
cocher *m.* coachman, driver
cochon *m.* pig
code *m.* law; **— civil** common law
cœur *m.* heart; **il a le — sur la main** he is very kind; **de tout —** with all one's heart
se coiffer to fix one's hair
coincé wedged
colère *f.* anger, temper
collégien *m.* (*f.* **collégienne**) student in a *collège*
coller to glue, stick

collier *m.* necklace
colosse *m.* giant
combien how much, how many
comble *m.* limit; **au — de la joie** as happy as can be
commande *f.* order; **un sourire de —** a forced smile
comment how; **et —** and how
commerçant *m.* (*f.* **commerçante**) shopkeeper
commis voyageur *m.* traveling salesman
complet *m.* suit of clothes
composer to dial
compréhensif, —ve understanding
comptabilité *m.* bookkeeping
compte *m.* account; **se rendre — de** to realize
comptoir *m.* counter
concours *m.* contest
conclure to conclude
conducteur *m.* driver
conduire to drive; **se —** to behave
confection *f.* ready-to-wear clothing
conférence *f.* lecture
confiance *f.* trust, confidence
confiseur *m.* confectioner
se confondre to blend
congédier to dismiss
congelé frozen
conjurer to implore
connaissance *f.* knowledge; **faire la — de** to meet for the first time
consacré time-honored
se consacrer to devote oneself
conseiller adviser; **— municipal** town councillor
conserve *f.* canned food
conserver to keep
consommer to consummate; to burn
conte *m.* tale, short story
contenter to please; **se — de** to be satisfied with
conter to tell, relate
conteur *m.* storyteller
contravention *f.* infraction; summons, ticket
contrebasse *f.* double bass
contrecoup *m.* repercussion
convenable proper; confortable
convenu accepted as such
convive *m.* guest
copain *m.* pal
coquin rascal
corbillard *m.* hearse
corde *f.* string; **à pleines —s** using all the strings of the instrument
corne *f.* horn; **coup de —** thrust with the horns
cornichon *m.* pickle; stupid fellow
corps *m.* body; **— de logis** building *(part of a larger unit)*
corridor *m.* passage
corriger to correct
corsage *m.* bodice
costume *m.* suit, outfit; **— de bain** bathing suit
côte *f.* hill; rib
côté *m.* side; **à — de** beside
coteau *m.* small hill
côtelette *f.* cutlet; **— d'agneau** lamb chop
cotillon *m.* skirt, petticoat
cou *m.* neck
coucher to put to bed; to put; **se —** to go to bed
couchette *f.* berth
coude *m.* elbow
coudre to sew
se couler to slip
couleur *f.* color
couloir *m.* passage, corridor
coup *m.* blow; **— d'œil** glance; **— de chance** stroke of luck; **— de dent** bite; **— de foudre** love at first sight; **— de téléphone** phone call; **tout d'un —** all at once; **tout à —** suddenly
couperosé blotched
cour *m.* courtyard; court
courant *m.*: **mettre au —** to bring up to date
courrier *m.* mail
course *f.* errand; run, race; **faire la —** to race; **— de chevaux** horse race; **— de lévriers** greyhound race; **— de taureaux** bull fight
court short, brief
courtisan *m.* courtier
coussinet *m.* small cushion
couteau, —x *m.* knife
couvée *f.* hatching *(of chicks)*
couvent *m.* convent
couvert *m.* cover; **mettre le —** to set the table
couvrir to cover

cracher to spit
crâne *m.* skull, head
cravate *f.* necktie
créer to create
créneau *m.* battlement
crêpe *f.* pancake
creux, —se hollow
crier to shout
crinière *f.* mane
crispé forced; furious
croire to believe; **se — des talents** to believe oneself talented
croiser to cross; **mots croisés** crossword puzzle
croissant *m.* crescent, curve
croître to grow
croquer to munch, crunch; **mignonne à —** terribly cute
croquis *m.* sketch
cru raw, uncooked
crustacé *m.* shellfish
cueillir to gather
cuiller *f.* spoon
cuillerée *f.* spoonful
cuire to cook; **faire —** to cook
cuisine *f.* kitchen; cooking
cuisinier *m.* (*f.* **cuisinière**) cook
cuisse *f.* thigh
cuisson *f.* cooking
cuit cooked; **du tout —** all ready, all settled
cuivre *m.* brass, copper

dactylo *f.* typist
d'ailleurs besides
daim *m.* deer; suède
débiter to sell
débarquer to disembark, stop
débordement *m.* outburst
debout standing
débrouiller to unravel; **se —** to manage
déception *f.* disappointment
décerner to confer, award
déchaîné let loose
déchirer to tear; **se —** to be torn
se décider to make up one's mind
décliner to refuse
décoller to take off
découvrir to uncover
décrire to describe
dédale *m.* labyrinth
déesse *f.* goddess
défaut *m.* shortcoming, fault
défendre to forbid
défense *f.* defense; tusk
défi *m.* challenge
défier to defy; **se —** to mistrust
défiler to parade, walk
défoncé bumpy, battered
dégagé disentangled, free
dégât *m.* damage
dégourdir to get the stiffness out of
déjeuner to have lunch
se délasser to rest
délit *m.* misdemeanor
demain tomorrow
se demander to wonder
démarche *f.* gait, walk, bearing
démesuré enormous
demeurer to live, inhabit
démodé old-fashioned
demoiselle *f.* young lady, spinster
dent *f.* tooth
dentelle *f.* lace
dépanné helped out of trouble
dépens *pl.*: **à ses —** at his expense
déployer to unfold, spread out
déposer to place
déprimer to depress
depuis since; **— combien de temps** how long
déranger to disturb
derrière *prep.* behind
dès from; **— que** as soon as; **— lors** from that time on
se dérouler to unfold
désarroi *m.* confusion
désemparé in distress
désigner to point out
désordonné untidy; irregular
désécher to dry up
dessiner to draw; **bien déssinées** finely chiseled
dessous under
dessus on top
se destiner à to prepare for, intend oneself for; **destiné** intended
destrier *m.* steed
se détacher to unfasten, loosen
deuxième second
devant before; **par —** in front
devanture *f.* shopwindow
diable *m.* devil
diamant *m.* diamond
dièse *m.* (*mus.*) sharp

dieu, —x god; **mon —** my goodness
difficile difficult; hard to please
difforme misshapen
dimanche Sunday
diminuer to diminish
dîner to have dinner
dire to say, tell; **se —** to think, to say to oneself; **autrement dit** in other words; **à qui le dites-vous?** you are telling me!
diriger to steer; **se —** to go towards
discourir to air one's opinions, discourse
discours *m.* speech
discret, —ète subdued
disperser to scatter
disposer to place
disque *m.* record
dissimuler to conceal, dissemble
distraction *f.* amusement
distrait absent-minded
dizaine *f.* about ten
domestique *m. or f.* servant
dominer to dominate
donner to give; **— en mille** not to be able to guess; **se — à** to devote oneself to
d'ordinaire usually
doré golden, gilt
dos *m.* back
doubler to double; to pass another car on the road
doucement softly
douche *f.* shower bath
douleur *f.* pain
douloureux, —se painful; **la douloureuse** (*colloq.*) check in a restaurant
se **douter de** to suspect
douteux, —se doubtful
douzième twelfth
dramaturge *m.* playwright
drap *m.* sheet
draperie *f.* drapes; materials
droit *m.* law; **avoir — à** to have a right to
droite *f.* right-hand side
drôle funny, strange
drôlement comically; extremely
dû *see* **devoir**
durer to last

eau, —x *f.* water; **— douce** fresh water; **à grande —** with a lot of water; **grandes eaux** fountains in full play; **suer sang et —** to make a tremendous effort
éberlué flabbergasted
ébloui dazzled
éblouissant dazzling
ébréché chipped
s'écarter to wander (away)
s'échapper to escape
échalas *m.* vine prop
échauffé overheated; **teint —** unhealthy complexion
échouer to fail
éclair *m.* flash of lightning; **jeter un —** to glitter
éclat *m.* burst
éclatant dazzling
école *f.* school; **— communale** grade school
écolier *m.* (*f.* **écolière**) school boy, girl
écraser to crush
écrasement *m.* crush, rush
s'écrier to cry out
écrit *m.* written part of an exam
écrivain *m.* writer
écroulement *m.* collapse
écume *f.* foam
écureuil *m.* squirrel
écuyer *m.* squire
effaré frightened
effet *m.* effect; **en —** in fact, indeed
s'effeuiller to shed its leaves
effroyable frightful, frightening
effréné unrestrained
égal equal; **c'est — !** well!
égard *m.* regard; **à l'— de** with regard to
égarer to lead astray; **s'—** to get lost
église *f.* church
s'élancer to dart, spring forth; **sa fine taille s'élançait hardiment** her slender figure was so well developped
élevage *m.* cattle breeding
élire to elect
s'éloigner to go away
embarras *m.* trouble, embarrassment
embarrassé embarrassed; crowded
embarrasser to confuse; **ne vous embarrassez pas** don't bother
embrassade *f.* embrace, kiss

embrasser to kiss
émission *f.* broadcast
emmener to take away
émouvant moving, fascinating
empêchement *m.* obstruction
empêcher to prevent; **ne pas pouvoir s'— de** not to be able to help
empereur *m.* emperor
empiéter to encroach upon
empiler to pile up
emplette *f.* purchase; **faire des —s** to shop
s'emplir to fill, be filled
employé *m.* (*f.* **employée**) clerk, employee
employer to use
emporter to take away, carry away
empressé zealous
emprunter to borrow
ému touched, moved
en into; by; while; some, any, of, from
encombre *m.* **sans —** without trouble
endormir to put to sleep; **s'—** to fall asleep
endosser to put on
endroit *m.* place, spot
endurci hardened
enfantin childish
enfer *m.* hell
s'enfermer to shut oneself up
enfoncer to drive in; **s'—** to plunge, go deeply
s'enfuir to run away
engin *m.* machine
engraisser to fatten
enjoué cheerful
enlever to take off
ennui *m.* boredom; nuisance
ennuyer to bore, bother; **s'—** to be bored
ennuyeux, —se boring, troublesome
enrageant maddening
enseigner to teach
entendre to hear; to understand; **s'—** to have an understanding, to get along
enterrer to bury
enterrement *m.* funeral
entêtement *m.* stubbornness
entourage *m.* associates
entretenir to converse
envie *f.* envy, desire; **avoir — de** to wish; to feel like
environ *m.* suburb
s'envoler to fly away
envoyer to send; **— promener** to send someone about his business
épais, —se thick
épanoui beaming
épatant "swell"
épaule *f.* shoulder
éperonnant spurring
épicier *m.* grocer
épinard *m.* spinach
épouser to marry
épousseter to dust
époux *m.* husband; *pl.* husband and wife
épreuve *f.* test, exam
éprouver to experience, to feel
épuisé exhausted
équipe *f.* team
équitation *f.* horseback riding
équivaloir to be equivalent
escalader to climb
escalier *m.* stairs; **— en colimaçon** spiral staircase
escalope *f.* slice; **— de veau** thin slice of veal
escargot *m.* snail
escarpin *m.* pump
espace *m.* space
Espagne Spain
espagnol Spanish
espèce *f.* species, kind
esprit *m.* mind, wit; **un bel —** a wit; **un homme d'—** a man of the world
essai *m.* test
essence *f.* gasoline
essuyer to wipe; to endure
estropier to cripple
estuaire *m.* estuary
étable *f.* stable
étalage *m.* display
étalagiste *m.* window dresser
étalé spread out
États-Unis United States
été *m.* summer
s'étendre to stretch out, lie down
éternuer to sneeze
étincelle *f.* spark
étincelant sparkling
étoffe *f.* material

étoile *f.* star
étonnant surprising
étonnement *m.* surprise
s'étonner to be surprised
étouffer to smother
étrange strange
être to be; **— au courant** to know what is going on
être *m.* being
étroit narrow; **à l'—** confined
étudiant *m.* (*f.* **étudiante**) student
s'éveiller to awaken
éventré wide open
examinateur *m.* examiner
excursion *f.* trip
s'excuser to apologize
s'exercer to practice
exiger to demand
expédier to dispatch; to get rid of
expirer to expire; to end
exposer to exhibit; to explain
exposition *f.* exhibition
exprès on purpose
exprimer to express, declare
extrait *m.* selection

façon *f.* manner; **de toute —** anyway
faconde *f.* fluency of speech
facteur *m.* postman
facultatif, —ve elective
faillir to fail; to be on the point of
faillite *f.* bankruptcy; **faire —** to become bankrupt
faim *f.* hunger; **avoir —** to be hungry
faire to do; to make; **— de la vitesse** to speed; **— un petit tour** to take a short walk; **— semblant** to pretend; **— plaisir** to please; **— de la peine** to hurt; **— bien** to look well; **— faillite** to go bankrupt; **tout fait** ready-made
falloir to have to, be necessary, must; to need
farce *f.* farce; joke
farine *f.* flour
fatigué tired
faucille *f.* sickle
faute *f.* mistake, fault; **— de frappe** typing mistake
fauteuil *m.* armchair
fée *f.* fairy
feindre to pretend
se fêler to crack
féliciter to congratulate
fer *m.* iron; **chemin de —** railroad; **— à cheval** horse shoe; **— à repasser** flatiron
ferme *f.* farm
fermeté *f.* firmness
fermier *m.* (*f.* **fermière**) farmer, farmer's wife
ferraille *f.* scrap iron
fête *f.* holiday, birthday
fêté admired
feu *m.* fire; **— rouge** red light
feuille *f.* leaf; **— d'impôt** income-tax blank
se ficher de not to care; **fiche-moi la paix** leave me alone
fichu beastly; **— métier** beastly job
fier, —ère proud
fièrement proudly
fierté *f.* pride
fièvre *f.* fever
figure *f.* face
se figurer to imagine; **figurez-vous** just imagine
fil *m.* thread
filer to run away, speed
filet *m.* net; **— de pêche** fishing net
fille *f.* daughter, girl; **vieille —** old maid
fixe steady; **prix —** fixed price, table d'hôte
flageller to lash
flambeau *m.* torch
flambée *f.* fire
flambé singed; **je suis —** I am done for
flamber to blaze
flânerie *f.* idling
flatté flattered
flèche *f.* arrow
fleur *f.* flower; **en —** in bloom
flirt boy friend, girl friend
flocon *m.* flock, tuft
flot *m.* wave, flood
fluet, —te slender
foie *m.* liver
foin *m.* hay
foire *f.* fair
foncer to speed
fond *m.* bottom, back; **au —** in the main

fort strong; **le — et le faible** the strong and weak points
fortune *f.* wealth; **bonne —** good luck
fou, folle crazy
foudre *f.* lightning; **coup de —** love at first sight
foudroyant of lightning speed; striking
fouille *f.* excavation
fouiller to search
foule *f.* crowd; **une — de** a lot of
fouler to trample
fourbu exhausted
fourchette *f.* fork
fourchu forked; **menton —** indented chin
fourvoyé put together
foyer *m.* fireplace
frais, fraîche cool, fresh
fraise *f.* strawberry
framboise *f.* raspberry
frapper to strike; **faute de frappe** typing mistake
frein *m.* curb; brake
frémir to shudder
frère *m.* brother; friar, monk
friand delicate, dainty
frisé curly
frit fried; **—es** French fried potatoes
froid cold; **il fait —** it is cold
froissement *m.* crumpling
froisser to crumple up
fromage *m.* cheese
froncer (les sourcils) to frown
front *m.* forehead
fronton *m.* ornamental front, façade
frotter to rub, scrub; **se — les mains** to rub one's hands together
fruitier *m.* fruit and vegetable merchant
fuir to flee
fulgurant scathing, cutting
fumée *f.* smoke
fumer to smoke; **prière de ne plus —** no smoking
fusée *f.* rocket
fusil *m.* gun
fuyant receding *(chin)*

gagner to earn, win; to reach; **— sa vie** to make a living
gaillard *m.* strong and jovial fellow
gamme *f.* gamut, scale
gant *m.* glove
garçon *m.* boy; waiter
garde *f.* guard; **être sur ses —** to be careful
garder to keep; **se — de faire quelque chose** to be careful not to do something
garnison *f.* garrison, station
gars *m.* fellow
gaspiller to waste
gâteau, —x *m.* cake, pastry
gâter to spoil
gauche *f.* left
gazon *m.* lawn
gazouiller to chirp
gémir to moan
gêner to disturb
genou, —x *m.* knee
genre *m.* sort, type
gens people; servants
gentil, —le nice
gentilhomme *m.* nobleman
gérant *m.* manager
gerbe *f.* spray
glace *f.* ice; ice cream; mirror
glas *m.* knoll
glisser to slide, slip
se gonfler to swell, puff out
gorge *f.* throat
gouailleur mocking
gouffre *m.* abyss
gourmandise *f.* gluttony
goût *m.* taste
goûter to taste; **il ne goûte que médiocrement** he enjoys very little
goûter *m.* afternoon snack
goutte *f.* drop
gouverneur *m.* tutor
grâce *f.* gracefulness; **— à** thanks to
grand-chose much
grandiose magnificent, awe-inspiring
grandir to grow up
grange *f.* barn
gras, —se fat, greasy
gratuitement gratis, free
grave serious
gravure *f.* engraving
gré *m.* will, wish; **savoir bon —** to be grateful
grèle *f.* hail
grèler to hail
grenier *m.* attic

grève *f.* strike; **faire la — de la faim** to go on a hunger strike
griffonner to scribble
grille *f.* iron gate with bars; railing
grimace *f.* face
grippe *f.* influenza
gronder to scold; to rumble
grosseur *m.* size
grossier, —ère rude
guêpe *f.* wasp
guérison *f.* cure
guerre *f.* war
guetter to watch out for

habile skillful
habiller to dress; **s'—** to dress (oneself)
habiter to live, inhabit
habitude *f.* habit; **d'—** usually
s'habituer à to get used to
haletant panting
hardi bold
haricot *m.* bean; **— vert** string bean
hasard *m.* hazard, chance; **par —** by chance; **au —** at random
hausser to raise; **— les épaules** to shrug one's shoulders
haut high, loud; **parler —** to speak in a loud voice
hautbois *m.* oboe
hauteur *f.* height
haut-parleur *m.* loudspeaker
hebdomadaire weekly
hérissé bristling
hêtre *m.* beech tree
heure *f.* hour; **— de la presse** rush hour; **à ses —** when she felt like it; **à quelle —** at what time
heureusement happily; **— né** born under a lucky star
hier yesterday
hisser to hoist
histoire *f.* history; **— de me distraire** just to amuse myself
hiver *m.* winter
homard *m.* lobster
honnête honest; **— homme** gentleman
hoqueter to have the hiccups
horloge *f.* clock
hors outside; **— de saison** out of season
hors-d'œuvre *m. pl.* appetizers
hôtel *m.* hotel; mansion
houille *f.* coal
huile *f.* oil
huilerie *f.* oil factory
huitième eighth
huître *f.* oyster
humeur *f.* mood
hurlement *m.* howling

imperméable *m.* raincoat
importer to matter; **n'importe qui** anyone; **n'importe quel** any
imposer to impose; **cela s'—** it's the thing to do
impôt *m.* tax
impressionnant impressive
imprévu unexpected
imprimé printed
incendie *f.* fire
incroyable unbelievable
indécis undecided
indulgence *f.* leniency
ingénieur *m.* engineer; **— des ponts et chaussées** government civil engineer
injurié insulted
insensiblement imperceptibly
s'installer to settle down; to sit down
instituteur *m.* (*f.* **institutrice**) grade-school teacher
insu: à l'— de without the knowledge of
s'intéresser à to be interested in
intérieur inner; domestic
internat *m.* boarding school
interne *m.* boarder
interroger to question
intervenir to step in, cut in, intervene
inverse opposite; **en sens —** in the opposite direction

jacasserie *f.* chatter
jadis formerly, in the old days
jaillir to gush forth; to spurt out
jambon *m.* ham
jardin *m.* garden
jaune yellow
jeu *m.* game
jeun: être à — to be fasting
jeunesse *f.* youth
joindre to join; to add
joliment prettily; extremely

joue *f.* cheek
jouet *m.* toy
joueur *m.* player
jouir to enjoy
jour *m.* day; daylight; **quinze —** two weeks; **mettre à —** to bring up to date; **de nos —** in our days
journal *m.* newspaper
juin June
jumeaux *m.* (*f.* **jumelles**) twins
jupe *f.* skirt
jurer to swear
jus *m.* juice

là-bas over there
labour *m.* plowing; **cheval de —** plowhorse
là-dessus on that; thereupon
ladite the before-mentioned
laid homely, ugly
laideur *f.* ugliness
lainage *m.* woolen
lait *m.* milk
laitier *m.* (*f.* **laitière**) milkman, milkmaid
lambeau, —x *m.* scrap
langue *f.* tongue; language
lanterner to dillydally
laquais *m.* footman, lackey
lasser to tire; **se —** to get tired
laver to wash; **machine à —** washing machine
lécher to lick
leçon *f.* lesson
lecteur *m.* (*f.* **lectrice**) reader
léger, —ère light
légèrement lightly
légume *m.* vegetable
lent slow
lesdites the before-mentioned
lessive *f.* laundry
lever to raise; **se —** to get up; **— un plan** to draw up a plan
lèvre *f.* lip
lévrier *m.* greyhound
libellule *f.* dragon fly
libertin *m.* freethinker
lier to tie, bind; **— conversation** to start a conversation
lieu *m.* place; **au — de** instead of; **avoir —** to take place
lieue *f.* league, two and a half miles
limace *f.* slug
linge *m.* linen; underwear
lit *m.* bed
se livrer to devote oneself; to go in for
loi *f.* law
loin far; **au —** in the distance
loisir *m.* leisure; free time
long, —gue long; **le — de** alongside; **de — en large** up and down; **à la longue** in the long run
lors during, at the time of
louange *f.* praise
louer to rent
lourd heavy
lourdeur *f.* heaviness
lu *see* **lire**
luire to shine
lumière *f.* light
lundi *m.* Monday
lune *f.* moon
lutte *f.* struggle
luxe *m.* luxury

machine *f.* engine, machine; **— à écrire** typewriter; **— à calculer** adding machine
mâchoire *f.* jaw
magasin *m.* store; **grand —** department store
magnétophone *m.* tape recorder
magnificence *f.* generosity
maigre thin; **jour —** day of abstinence, fish day
maigrir to grow thin
main *f.* hand; **il a le cœur sur la —** he is very kind
maire *m.* mayor
mal, maux *m.* evil; misfortune, pain, ache; **avoir du —** to have trouble
malade *m. or f.* patient; *adj.* ill, sick
maladie *f.* illness
maladif, —ve sickly
malaise *m.* discomfort
malheur *m.* misfortune
malin, maligne shrewd, clever
malle *f.* trunk
malmené ill-treated
malsain unhealthy
manche *f.* sleeve
mandat-carte *m.* money order
manie *f.* craze; **avoir la —** to insist on
mannequin *m.* fashion model
manque *m.* lack

manquer to lack, fail, miss
mansarde *f.* attic room
mansuétude *f.* meekness, gentleness
manteau, —x *m.* coat, cloak; **— de fourrure** fur coat; **— de demi-saison** fall or spring coat
maquillé made up *(with cosmetics)*
maraud *m.* scoundrel
marchand *m.* (*f.* **marchande**) merchant
marchander to haggle
marché *m.* market; **bon —** cheap
marcher to walk; to go; **ça marche?** doing well?
marche-pied *m.* footboard
mari *m.* husband
se marier to get married
marri grieved
maussade sulky
méchant mean
médecin *m.* doctor
mélange *m.* mixture
mélanger to mix
se mêler to mingle
ménage *m.* household, housework
ménager to save
mensuel, —le monthly
menteur *m.* liar
menton *m.* chin
se méprendre to mistake
mépriser to scorn
mer *f.* sea
mercerie *f.* haberdashery
méridional from the South of France
mériter to deserve
merveille *f.* wonder
mésaventure *f.* mishap
mesure *f.* measure; (*music*) bar; **battre la —** to beat time
métier *m.* trade, occupation
métro *m.* subway
se mettre to stand; **— à** to start; **— à table** to sit down at the table; **— en peine** to worry; **mettre au point** to bring to perfection
meublé furnished
meurtre *m.* murder
miaulement *m.* mewing
miauler to mew
mi-chemin half-way
microsillon *m.* long-playing record
midi *m.* southern France
mien, —ne mine
mieux better; **ne pas demander —** not to ask for anything better; **tant —** so much the better
mignon, —ne cute, darling; **mignonne à croquer** terribly cute
milieu *m.* environment
millier *m.* about a thousand
mince slender
mine *f.* appearance; **avoir mauvaise —** to look ill
mi-partie half
mirobolant magnificent
mise *f.* placing; **— en vente** sale
modéliste *m. or f.* dress designer
mœurs *f. pl.* social customs
moindre less
moine *m.* monk
moins less; **à — que** unless; **tout au —** at least
moment *m.* moment; **pour le —** just now; **en ce —** now; **par —s** now and then
monnaie *f.* change
monôme *m.* parade of students through the streets in single file
montagne *f.* mountain
montant *m.* amount
monter to go up; to wind (*a watch*); **— à cheval** to ride horseback
montre *f.* watch
se moquer de to make fun of
morceau, —x *m.* portion; piece
moto *f.* motorcycle
se moucher to blow one's nose
moucheté speckled
mouchoir *m.* handkerchief
moue *f.* pout, face
mourir to die; **— de faim** to starve
mouvementé lively; **vie —e** life of ups and downs
moyen *m.* means; **trouver le —** to manage
Moyen Age *m.* Middle Ages
moyenne *f.* average
muet, —te silent, mute
mugissant howling
mugissement *m.* bellowing
mur *m.* wall
muraille *f.* thick, high wall
mûr mature, ripe; **âge —** middle age
mûrir to mature
mutin mischievous

nage *f.* swimming
nager to swim

naissance *f.* birth
naître to be born
nappe *f.* table cloth
napperon *m.* doily, place mat
narine *f.* nostril
natte *f.* braid, plait
nautique aquatic
né *see* **naître**
néanmoins nevertheless
nécessiteux, —se poor
néfaste disastrous
négligemment carelessly
neige *f.* snow
net, —te neat; **mettre au —** to make a clean copy
nettement clearly
nettoyer to clean
neuf, neuve new; **rien de —** nothing new
neveu *m.* nephew
nez *m.* nose
niché nestled
Noé Noah
Noël *f.* Christmas
noisette *f.* hazelnut
noix *f.* nut
nombreux, —se numerous
non no; **ma foi, —** I should say not
note *f.* grade, mark, bill
nourriture *f.* food
nouveauté *f.* novelty
nouvelle *f.* news
noyau *m.* nucleus, core
nuage *m.* cloud
nu bare
numéro *m.* number

obéir to obey
obstrué obstructed, hidden
obtempérer to obey
occupé busy
s'occuper de to attend to; to take care of
œil *m.* eye; **coup d'—** glance
œuf *m.* egg
œuvre *f.* work; **chef-d'—** masterpiece
offensé offended
oiseau, —x *m.* bird
ombragé shaded
omoplate *f.* shoulder blade
onde *f.* air wave, water wave
ondoyer to undulate
or *conj.* but, now
or *m.* gold
orage *m.* storm
ordonnance *f.* prescription
ordure *f.* garbage
oreille *f.* ear
orgueilleux, —se proud
oser to dare
ôter to take off; to take away
oui yes; **mais —** yes indeed; **pour ça —** I should say so
ouragan *m.* hurricane
outrecuidance *f.* conceit, presumption
outré exaggerated
ouvrage *m.* work
ouvrier *m.* workman

paillette *f.* spangle
pain *m.* bread
palpitant thrilling
pané breaded
panier *m.* basket
panne *f.* breakdown; **une — d'essence** out of gas
papauté *f.* papacy
par by, with, per; **— exemple** for example; **— conséquent** therefore
parapluie *m.* umbrella
paratonnerre *m.* lightning rod
pardessus *m.* overcoat
paresse *f.* laziness
paresseux, —se lazy
pari *m.* bet
parier to bet
parqueté floored
part *f.* share; **de — et d'autre** on both sides; **de ma —** from me
partager to share
parterre *m.* orchestra
parure *f.* necklace
parvenir to reach
pas *m.* step; **faire un —** to take a step; **au —** slowly; **à grands —** quickly
passer to pass, spend; **— un examen** to take an exam; **— outre** to proceed further
se passer to take place; **se — de** to do without
passionnant thrilling
patelin *m.* (*colloq.*) small town
patinage *m.* skating

pâtissier *m.* pastry cook
patron *m.* boss
paupière *f.* eyelid
pauvre poor
pavé *m.* pavement; **brûler le —** to dash along at full speed
paysage *m.* landscape
paysan *m.* farmer
peau *f.* skin
peau-rouge *m.* Indian, redskin
pêche *f.* fishing; peach
peigner to comb
peindre to paint; to describe
peine *f.* sorrow; trouble; **ce n'est pas la —** it's not worth it; **se mettre en —** to worry
pelouse *f.* lawn
pendant hanging; **joue —e** flabby cheek
pendre to hang
pendulette *f.* small clock
péniche *f.* river boat
pénombre *f.* semidarkness
pension *f.* allowance
pente *f.* slope
perdre to lose, waste; **se —** to get lost
permettre to allow; **se —** to presume, take the liberty
permis de conduire *m.* driver's license
perron *m.* flight of steps
perroquet *m.* parrot
personnage *m.* character
pesant heavy
pesanteur *f.* heaviness; **loi de la —** law of gravity
peser to weigh; to bore
pester to rave, grumble
petit small; **mon — vieux** old pal
petit-fils *m.* grandson
peu little; **tant soit —** somewhat; **à — près** almost; **pour — que** in the least
peuple *m.* people; lower class
peur *f.* fear, fright
phare *m.* lighthouse
phrase *f.* sentence; **faire des —s** to speak in flowery language
physionomie *f.* face; expression
pièce *f.* coin; play; room; piece; **— d'eau** ornamental pool
pierre *f.* stone
piéton *m.* pedestrian
pile *f.* stack
pilote *m.* pilot; **— d'essai** test pilot
pilule *f.* pill
piqûre *f.* hypodermic injection
pire worse
pis worse; **tant —** so much the worse, too bad
piscine *f.* swimming pool
plafond *m.* ceiling
plaider to plead
plaindre to pity; **se —** to complain
plaire to please; **s'il vous plaît** if you please
plaisanter to joke
plaisanterie *f.* joke
plancher *m.* floor
plat *adj.* flat; **plat** *m.* dish
platane *m.* plane tree
platitude *f.* dullness
plein full; **faire le —** to fill up with gasoline; **en —** in the middle of; **à —** completely
pleuvoir to rain
pli *m.* fold
plomber to fill *(a tooth)*
plongeon *m.* dive
plu *see* **pleuvoir**
pluie *f.* rain
la plupart most
plus more; **ne . . . —** no more, no longer; **de — en —** more and more; **de —** in addition
plût *see* **plaire; — à Dieu** God grant
plutôt rather
poche *f.* pocket
poids *m.* weight
poignée *f.* handle
poignet *m.* wrist
poinçonner to punch *(a ticket)*
point *m.* extent; **à — nommé** when needed; **— du tout** not at all; **mettre au —** to perfect
pointure *f.* size in shoes, gloves, collars
poire *f.* pear
poireau, —x *m.* leek
pois *m.* pea
poisson *m.* fish
poivre *m.* pepper
poivrer to pepper
policier *m.* member of the police force; **roman —** detective story

politique *f.* politics
pomme *f.* apple; **— de terre** potato
pondre to lay *(an egg)*
pont *m.* bridge
populace *f.* rabble
portail *m.* portal
portière *f.* door *or* window *(of a vehicle)*
posément sedately
poste *m.* post office
postillon *m.* coachman
potage *m.* soup; **— printanier** vegetable soup
potager *m.* vegetable garden
poterie *f.* earthenware
pouce *m.* inch
poudroyer to form clouds of dust
poule *f.* chicken, hen
poulet *m.* chicken
poumon *m.* lung
pouls *m.* pulse
pour in order to; **— le moment** for the time being
pourboire *m.* tip
poursuivre to pursue; to go on
pousser to push; to utter; to grow
poussière *f.* dust
pouvoir to be able, can, may
précepteur *m.* tutor
prêcher to preach
préconiser to advocate
prédicateur *m.* preacher
prendre to take; **s'y —** to go about it; **en — son parti** to resign oneself to the inevitable; **— la parole** to start talking
prénom *m.* given name
se présenter to introduce oneself; **— à un examen** to take an exam
presse *f.* rush
pressé in a hurry
prêt ready; **— à porter** ready to wear
prêter to lend
prétendre to intend
prévenir to forestall, anticipate; to warn
prière *f.* prayer
printanier springlike; **potage —** vegetable soup
printemps *m.* spring
prise *f.* capture
prisonnier *m.* (*f.* **prisonnière**) prisoner
priver to deprive
procès *m.* lawsuit
proche near
se procurer to procure
profit *m.* advantage
profiter to take advantage
profondément deeply
proie *f.* prey
promenade *f.* walk, ride, outing
se promener to take a walk
promeneur *m.* walker
propos *m.* talk; **à — de** about
propre own; clean
propriétaire owner
pu *see* **pouvoir**
puiser to dig out
puissance *f.* power, force
puits *m.* well; **— de pétrole** oil well

quarantaine *f.* about forty
quelquefois sometimes
question *f.* question; **il n'en sera plus —** it won't be mentioned again
queue *f.* tail; **faire —** to stand in line
qui who; **— que ce soit** anyone
quitte free; **en être — pour** to be let off with
quoique although

rabat *m.* band
raccrocher to catch
racheter to redeem; to make up for
racine *f.* root
raconter to tell, narrate
radis *m.* radish; **ne pas avoir un —** to be broke
rafale *f.* blast of wind
ragoût *m.* stew
raison *f.* reason; **avoir —** to be right; **faire —** to pledge
raisonnable sensible
ramener to bring back
rampe *f.* landing ramp
rangé tidy; steady
rappeler to remind; **se —** to remember
ranger to put away; **se —** to step aside, get out of the way
rapière *f.* rapier, sword
rapport *m.* report; **sous tous les —s** in every respect
rapporter to bring back

se rapprocher to come nearer
rare sparse; **cheveu —** thin hair
se raser to shave
rasoir *m.* razor
ravi delighted
rayon *m.* ray; department *(in a store)*
rayonnant beaming, radiant
réaction *f.* reaction; **avion à —** jet plane
récepteur *m.* receiver
recette *f.* recipe
rechange *m.*: **habits de —** spare clothes
recherché mannered
récit *m.* narrative
récréation *f.* playtime
reçu received; **être — à un examen** to pass an exam
se reculer to step back; to postpone
recueillir to gather
rédaction *f.* composition
rédiger to draw up, draft
redoutable to be feared
réduire to bring down, to reduce
réfléchir to think, ponder
reflet *m.* reflection; glint
refuser to refuse; **être refusé à un examen** to fail an exam
registre *m.* *(hotel)* register; **tenir —** to keep a list
règle *f.* rule
régler to settle; **se — sur** to time oneself on
règne *m.* reign
régner to reign
rejeter to throw back
se rejoindre to join; to meet
relation *f.* acquaintance
relever to lift; to make a list of; to protest
relire to read again
rembourré upholstered
se remettre to recover
remonter to go back; to go up again
remuer to disturb; to stir
renard *m.* fox
rendre to give back; **se —** to surrender; **se — compte de** to realize
renfermer to enclose; **se —** to shut oneself up
renouveler to renew
renouvellement *m.* renewal
renseigner to inform
renversé reversed
renverser to overthrow, overturn, knock down
renvoyer to dismiss
répandre to spread
repartir to start again; to reply
repas *m.* meal; **un — qui se respecte** a good meal
repasser to press, iron
replier to fold up
réplique *f.* reply
répliquer to reply
repos *m.* rest; **soyez en —** don't worry
se reposer to rest
représentation *f.* performance
résoudre to solve
respirer to breathe
resquiller to cheat
ressentir to feel, experience
resserrer to keep together; to tighten
ressoudé put together again
Restauration *f.* Restoration *(return of the monarchy 1815-1830)*
restituer to return, give back
retour *m.* return; **être de —** to be back
retard *m.* delay; **en —** late
retentissant sonorous
retraite *f.* shelter; **prendre sa —** to retire
retroussé turned-up
réunion *f.* meeting
réussir to succeed, to be successful
revanche *f.* revenge; **en —** on the other hand
revenu *m.* income
rêver to dream
revivre to relive
revoir to see again; **au —** good-by
rez-de-chaussée *m.* groundfloor
rhume *m.* cold
rieur, —se fond of laughter
ridé wrinkled
rideau *m.* curtain
rire to laugh; **— au nez** to laugh in the face
rive *f.* bank
rivière *f.* river; necklace
robe *f.* dress
rocher *m.* rock
roi *m.* king
roman *m.* novel
romancier *m.* (*f.* **romancière**) novelist

rompre to break
ronde *f.* round; patrol; **à la —** roundabout
ronflement *m.* snoring
ronfler to snore
rose pink
roseau *m.* reed
rosée *f.* dew
rôti *m.* roast
roue *f.* wheel
rouer to break someone upon the wheel
rouler to roll; **— sur l'or** to be wealthy
rousseur redness; **taches de —** freckles
roussir to scorch
roux, rousse red-haired
royaume *m.* kingdom
royauté *f.* monarchy
ruban *m.* ribbon; **— magnétique** magnetic tape
rude harsh, hard
rudement roughly, extremely
ruelle *f.* narrow street
rugir to roar
ruisseau, —x *m.* brook

sabot *m.* hoof
sac *m.* bag
sage well-behaved; wise
sagesse *f.* wisdom
sain healthy
saisir to grasp
sale dirty
salir to soil; to dirty easily
salle *f.* room; **— à manger** dining room; **— de séjour** living room
salon *m.* drawing room; **— d'essayage** fitting room
sang *m.* blood
sanglant bloody; biting
sanglot *m.* sob
santé *f.* health
saucisson *m.* sausage
saut *m.* jump
sauter to jump
sauteuse *f.* deep frying pan
saveur *f.* flavor
savoir to know; **en — long** to know a lot
savonner to lather
savonnerie *f.* soap factory
savourer to enjoy
savoureux, —se tasty
sec, sèche dry; **corps —** bony
sécher to dry
secouer to shake
secousse *f.* jolt
séduire to captivate, please
séduisant attractive
seigneur *m.* lord
séjour *m.* stay; **salle de —** living room
sel *m.* salt
selon according to
semblable similar
semblant *m.* appearance; **faire —** to pretend
semé covered with
sensible sensitive; **douleur —** great sorrow
sentiment *m.* feeling; **mes meilleurs —s** best regards
sentinelle *f.* sentry
sépale *m.* sepal
serré tight, close-fitting; **—s** close together
serrer to tighten; **se — la main** to shake hands
serveuse *f.* waitress
service *m.* service; **faire son —** to be in the army
serviette *f.* towel
servir to serve; to wait on; **se — de** to use; **à quoi cela lui servira-t-il?** what use will he make of it?
seuil *m.* threshold
seul lonely; **toute —e** by herself; **cela se fait tout —** it gets done without trouble
sévère strict
si if; suppose
siège *m.* seat
siéger to sit, *(of judge, assembly, etc.)*
signalement *m.* description of a person *(for legal purposes)*
signification *f.* meaning
singe *m.* monkey
singulier, —ère strange
sixième sixth
smoking *m.* tuxedo
socle *m.* pedestal
sœur *f.* sister
sœurette *f.* little sister

soi oneself
soie *f.* silk
soieries *f.* silk material
soigneux, —se neat, careful
soigneusement carefully
soin *m.* care
soir *m.* evening; **ce —** tonight; **hier —** last night
soirée *f.* party
soit . . . soit either . . . or
sol *m.* ground; G (*music*)
soleil *m.* sun; **coucher de —** sunset
solde *m.* bargain
sommeil *m.* sleep
son *m.* bran
songe *m.* dream
sonner to ring
sonnerie *f.* ringing
sonneur *m.* bell ringer
sort *m.* fate
sottise *f.* stupidity
sou *m.* cent
souci *m.* care; **se faire du —** to worry
soucieux, —se worried
souffrir to suffer
souhaiter to wish; **je vous souhaite** I wish you were here
soûl: tout son — to one's heart's content
soulager to relieve
soulever to raise, lift
soulier *m.* shoe
soumettre to submit
souper to have supper
soupirer to sigh
sourcil *m.* eyebrow
sourd deaf
sourire *m.* smile
sourire to smile
souris *f.* mouse
sous-marin underwater
soutenir to support
se souvenir (de) to remember
soyeux, —se silky
se spécialiser to major
spirituel, —le witty
sténo *f.* shorthand
stylo *m.* fountain pen; **— à bille** ball pen
su *see* **savoir**
suer to sweat; **— sang et eau** to make a tremendous effort
suite *f.* continuation; **tout de —** immediately
suivant following; according to
suivi coherent
suivre to follow; **— un cours** to take a course; **— quelqu'un du regard** to keep looking at someone
sujet *m.* theme
superficie *f.* surface
supporter to endure
supputer to compute, calculate
sûr sure, certain; **pour —** of course
surgir to spring up, appear suddenly
surmonté topped with
sur-le-champ immediately
surveiller to watch
survoler to fly over
sût *see* **savoir**

taille *f.* height; size; waist; figure
tailleur *m.* tailored suit
tableau, —x *m.* picture; **— de bord** instrument board
tache *f.* spot; **— de rousseur** freckle
se taire to be silent
talon *m.* heel
tambour *m.* drum; **— de basque** tambourine
tam-tam *m.* Indian or African tom-tom
tanneur *m.* tanner
tant de so much, so many; **tant que** as long as
taper to strike; to type
tapis *m.* rug
tarder to delay; **il me tarde de** I am anxious to
taux *m.* percentage
teint *m.* complexion
teinte *f.* color
teinturier *m.* cleaner
téléaste working for television
tellement so much
tempérament *m.* disposition; **achat à —** on the installment plan
temps *m.* time; weather; **en même —** at the same time
tendre to offer
tenir keep, insist; take up; **se —** to stand; **— au courant** to keep informed; **tenez!** look here!
tenue *f.* outfit; **— de soirée** evening clothes

terminer to end, finish
terne dull
terrasse *f.* terrace
terre *f.* earth; estate
tête *f.* head, face; **quelle — il aurait** how he would look
tétraèdre *m.* tetrahedral
Thésée Theseus (*Greek hero who* slew the Minotaur)
thon *m.* tuna fish
tiède lukewarm
tilleul *m.* linden tree
timbre *m.* stamp
timbré modulated
tiré drawn; taken; **s'en tirer** to manage to get through
tiroir *m.* drawer
titre *m.* title
toi you, to you, yourself
toile *f.* linen; picture; **— cirée** oil cloth
toilette *f.* outfit, clothes
toit *m.* roof
ton *m.* color; intonation
tonnerre *m.* thunder
toque *f.* cap
torchon *m.* dishcloth
se tordre to twist
torse *m.* torso
tort *m.* wrong; **avoir —** to be wrong
toucher to touch; **— un chèque** to cash a check; **se —** to meet
tour *m.* turn; short walk
tourbillon *m.* whirlwind
tourelle *f.* turret
tourne-disques *m.* phonograph
tourner to turn; **ça ne tourne pas rond** something is wrong; **bien tourné** well written
tournoyant turning around
tousser to cough
tout all, everything; **— le monde** everybody; **— de même** all the same; **— en** while; **du —** at all; **joli comme —** as pretty as can be; **— à fait** quite
tout all, whole
toutou *m.* doggy
tracas *m.* trouble
trahir to betray; to show
train *m.* train; **en — de** in the act of
train-train *m.* routine
se traîner to crawl, drag
traire to milk
trait *m.* feature
traitement *m.* salary
trajet *m.* journey
transport *m.* enthusiasm
transporter to thrill; to carry
trapu husky
travail, travaux *m.* work; **un — fou** too much work; **— à la chaîne** assembly line
travailler to work; **travaillé** elaborate (*style*)
travailleur *m.* (*f.* **travailleuse**) hard worker
travers: de — crooked
tressaillir to start, tremble; to thrill
tricoter to knit
tristesse *f.* sadness
troisième third
tromper to deceive; **se —** to make a mistake
trou *m.* hole
troué pierced
troupeau *m.* herd
troussé dressed
trousseau *m.* bunch
se trouver to be; **c'est très bien trouvé** it's a good idea
truc *m.* trick; gadget
truite *f.* trout
tuer to kill
tuile *f.* tile
type *m.* type; fellow; guy; **un — très bien** a fine fellow; **un chic —** a swell guy

ulcéré deeply hurt
uni plain
user to wear out
usure *f.* excessive interest, usury
usurier *m.* money lender, usurer
usine *f.* factory
utile useful

va: ça — it is all right
vacances *f. pl.* vacation
vacarme *m.* uproar
vache *f.* cow
vachement (*colloq.*) extremely
vaisselle *f.* plates and dishes
vaniteux, —se conceited
vantard bragging

vanter to praise; to speak highly; **se —** to boast
veau *m.* calf; veal
veiller to watch; to stay up; to be awake
veilleur *m.* watcher
velours *m.* velvet
vendeur *m.* (*f.* **vendeuse**) salesman, saleswoman
vendre to sell
vendredi Friday
venir to come; **— de** to have just
ventre *m.* stomach
ventricule *m.* ventricle
vérité *f.* truth; **à la —** in truth; **en —** really
vernissage *m.* opening of an art exhibition
verre *m.* glass
verrue *f.* wart
vers toward
verser to pour; to overturn
veston *m.* jacket
vêtu dressed
veuf widowed
vexer to hurt someone's feelings; to irk
victoire *f.* victory
vide empty
vieux, vieil, vieille old
vigne *f.* vineyard, vine
vigoureux, —se strong
vigueur *f.* strength
vin *m.* wine
violet, —te purple
vitesse *f.* speed; **en —** quickly; **faire de la —** to speed
vitre *f.* glass pane
vitrine *f.* shopwindow
vivant living; lively
vivre to live; **joie de —** joy of living; **heureux de —** happy to be alive; **Vive . . . !** Long live . . . !
vœu, —x *m.* wish
voilà there is, are
voile *m.* veil; sail
voisin *m.* (*f.* **voisine**) neighbor
voiture *f.* car
voix *f.* voice
volant *m.* steering wheel
voler to steal; to fly
voleter to flutter
voleur *m.* (*f.* **voleuse**) robber
volonté *f.* will power, will
volontiers willingly
vorace voracious
vouloir to want; **— bien** to be willing
vouté vaulted
voyage trip; **chèque de —** travelers check
voyageur *m.* (*f.* **voyageuse**) traveler; **— de commerce** traveling salesman
vu *see* **voir**

wagon *m.* railroad car

y there; **il — a** there is, there are
yeux (*sing.* **œil**) eyes

DATE DUE

APR 15 '65
OCT 28 '74
SE 28 '82

GAYLORD PRINTED IN U.S.A.